百濟

동아시아 대왕 **근초고**

윤영용

East Asian Great King

Geunchogo

동아시아 대왕 근초고 7

발 행 | 2024년 4월 20일

저 자 | 윤영용

펴낸이 | 한건희

펴낸곳 | 주식회사 부크크

출판사등록 | 2014.07.15.(제2014-16호)

주 소 | 서울특별시 금천구 가산디지털1로 119 SK트윈타워 A동 305호

전 화 | 1670-8316

이메일 | info@bookk.co.kr

ISBN | 979-11-410-8182-9

www.bookk.co.kr

동
아
시
아
대
왕

근초고

윤영용 지음

運 움직이는

승리였다. 백제를 위해서도 대해부가를 위해서도 필요한 승리였다. 나주벌에 금성, 무곡성, 자미성을 세운 백제는 이제 반도 서쪽을 거의 평정하게 되었다. 비류왕의 태평성대(太平聖代)가 이어졌다. 철제 명도전은 모용씨족의 북부대륙과 반도, 열도에 이르기까지 통용되는 화폐로 자리잡았다. 대륙백제와 한성백제는 화폐제조창이자 교역의 중심지로써 그 혜택을 톡톡히 보게 되었다. 내신좌평이 된 우복의 세력이 점차 확대되어 가고 있었다. 흑우가 상단과 흑천, 그리고 대해부가 상단까지 우복의 부(富)는 백제의 절대 권력이 되어가고 있었다.

왕비 하료도 알게 되었다. 어미의 배를 가르고 나온 아이. 역대 왕 중에는 어미를 제물로 하여 태어난 큰 인물들이 많았다. 하늘의 뜻이 그러했는지 아이가 살아 있었다. 비류왕 여호기와 선화의 아들이 살아 있었다. 비류왕 여호기가 자신을 미워하는 것보다 더 중요한 일이었다. 왕의 아들… 배다른 그 아이. 어쩌면 절대무왕의 전설을 타고났을지도 모른다. 그렇다면. 무조건 죽여야 한다.

그 목걸이의 주인이면 야마다의 주인이다–

선화도 인화도 연희도 그 목걸이의 주인을 기다려야 하는 비미호 여왕 신녀가 아닌가. 그 목걸이를 찾고 있다. 주인이 될 수 있었던 사람은 여호기였다. 여호기가 그 전설을 알고 있었다. 그러면 여호기가 열도 야마다를 원하는 것인가? 대해부의 머리가 복잡해졌다. 우선 대륙의 설리와 협의해서 만약의 사태를 대비해야 했다. 한성백제가 대군을 몰고 오면 당장 한순간에 당한다. 야마다에는 지금 백제군이 많다. 게다가 백성도 백제군의 우수성을 알고 있다. 싸우기가 불가능해진다. 진다. 그리고 바쳐야 한다. 백제에. 앞으로 벌어질 일들에 대해부의 긴 탄식이 이어졌다.

연희가 대륙으로 가라─

　호위장 여강과 함께 연희가 대륙으로 향했다. 여구는 남아서 신무기 개발에 진력을 다 했다. 대해부의 엄명이었다. 연희는 여구를 데려가길 원했다. 그러나 대해부는 강력했다. 그러면서 대해부는 다 안다는 듯 말했다. 미소를 흘렸다. 네가 한 짓을 다 안다. 그러니 이번에는 내 말을 따르리. 니리의 위기다. 대위기. 그리고 은밀히 연희에게 목걸이와 한성백제의 숨은 뜻을 설명했다. 목걸이의 의미를 알고 연희도 놀랐다. 그리고 설리. 대륙백제의 좌장 설리에게 이를 알려놓아야 했다. 다른 누구에게도 시킬 수 없었다. 만약의 사태에 대비하고 있어야 했다. 한성백제의 비류왕이 열도 야마다를 치려 한다면, 야마다는 대륙백제의 도움을 얻어야 했다. 한성백제를 오히려 취할 수도 있다. 아니면 대륙백제의 긴장감으로 한성백제의 열도 남행만큼은 철저히 막아야 한다. 그렇게 일은 진행되어야 했다. 대해부는 그런 장치를 해야 한다고 생각했다. 석 달은 족히 걸릴 일이었다.

　곧 매듭을 지어야겠다. 빨리 갔다 오너라─

　보고 싶은 사람을 보려면 빨리 다녀와야 한다. 연희는 이 일을 그 누구와도 상의할 수 없었다. 특히, 마가(馬家) 사람들은 한성백제인들이다. 게다가 요즘엔 한성백제에서 온 사람들이 빈번하게 마가(馬家) 사람들과 접촉하고 있었다. 연희는 여구에게도 그 일을 얘기해주지 못한다.

"내가 없는 동안에 딴짓하면 안 돼."

"그럴 리가 있겠습니까? 신무기를 만드는데 전념하겠습니다. 특히, 좋은 명주 비단을 만들어서 그 첫 번째 옷을 드리겠습니다."

"좋아. 그런데 옷은 누가 만들지?"

"제가 직접 만들어 드릴 테니 걱정하지 마시고 잘 다녀오십시오."

"근데 단동십훈이라고 알아?"

"그때 백제 대천관 신녀께서 말씀하셨지 않습니까. 옛 단군조선의 왕가에서 전해져오던 왕자 공주님들의 놀이 말입니다. 도리도리 짝짜꿍… 이거 아닙니까?"

"그래. 그거 거기 무슨 뜻이 있어?"

"백제와 야마다 비미호 여왕님과의 은밀한 관계가 있다고… 같이 들으셨지 않습니까?"

"그거 말고… 무슨 비밀이 더 있나 본데…"

여구는 뜻하지 않는 말을 한다.

"그걸 어찌 아셨습니까?"

안다는 소리다. 알고 있다는 소리였다. 역시 여구다. 여구는 알고 있을지도 모른다고 생각해서… 혹시나 해서 물어본 말인데.

"알아?"
"예. 다는 아니고 한두 가지 지금 풀어보고 있습니다. 초로와 단복을 달달 볶아서 조금씩 알아내고 있습니다."

그래. 그랬구나. 여구는 알고 있었구나. 풀고 있다? 그럼? 지금은 확실하지 않아서 얘기하기가 그렇고, 대륙백제에서 돌아오면 설명해줄 수 있다고 했다. 풀어 주겠다고 했다. 연희는 그런 여구를 믿었다. 여구는 자신의 형이 가지고 있는 그 목걸이가 하나라는 생각을 하지 못하고 있었다. 옛 조선의 왕가에서 가지고 있던 목걸이니 각 제후국에도 왕자들이 태어났을 것이고 그러니 여러 개일 것으로 생각하고 있었다. 그저 단동십훈(檀童十訓)의 내용을 해석하는 데 열중하고 있었다. 준비가 필요했다. 아무도 몰래. 여구의 성격은 그랬다. 다 준비해놓고서 처음부터 끝까지 자기가 다 알고 체득한 후에 사람들에게 꺼냈다. 아직은 말을 내놓을 때가 아니다.

같이 있고 싶은데-

가야 한다. 국가의 존망이 걸려 있었다. 그 목걸이에 소서노 모태후의 한(恨)이 있다고 했다. 지금은 목걸이가 한성백제와 열도 야마다를 긴장하게 했다. 연희는 박다항 포구를 나서면서 여구와 함께 가지 못하는 것이 못내 아쉬웠다. 그 아쉬움과 다른 심정을 가진 사람이 있었다. 여강이었다. 여구에게는 미안했지만, 여강은 연희와 단둘이 대륙백제로 향하는 그 길이 아무래도 좋았다. 이런 행복이 있을 줄 몰랐다. 이 길은 여강에게 있어서 인생 최대의 행운이었다.

언제나 불행과 함께 온다는 행운-

단복과 초로를 불렀다. 대해부는 연희 일행이 떠나자 단복과 초로를 불러서 다시 묻고자 했다.

"왜 백제 서위 감독관이 너희 고하 소도 마가를 예의주시하고 있는지 아느냐? 혹시 여구의 연구가 들킨 것이냐?"

"아닙니다. 여구를 감시하는 것이 아니라… 그게 좀…"

단복이 말끝을 흐렸다. 천기령. 칠월칠석. 바로 여구의 생모일 때문일 것이라고 단복과 초로는 생각했다. 그 일을 아는 이들은 이제 고하 소도의 사람 중에서 자신들뿐이다. 그 일의 주인공인 여구도 모른다.

"뭣이냐?"
"…?"
"…!"

초로가 단복에게 말하라는 눈짓을 보낸다. 그 눈빛을 대해부가 읽었다.

"얘기하거라!"

고하 소도의 비사(秘事) 중의 애사(哀事)다. 숨겨 놓아야 할 일. 슬픈 일. 한성백제 고마성에서 천기령으로 가는 길, 거기 한적한 곳, 산줄기에서 단란하게 잘살고 있던 자신들이 노예사냥 무사들의 습격을 받아 열도로 대해부가로 팔려온 이야기가 길게 이어졌다. 그 일이 있었다.

그리고 이어졌다─

"여구는 여강과 쌍둥이가 맞는가? 내 이번엔 꼭 들어야겠다. 무슨 일이 있어도 듣겠다. 만약 거짓을 올리면 그간 바둑을 같이 둔 벗으로의 연을 끊을 것이다."

엄벌보다 무서운 대단한 엄포다. 그런데 단복과 초로가 어떤 사람인가. 옛 단군조선의 선인들이다. 그들의 눈에 분명히 대해부가 어떤 결심과 매우 중요한 의사결정을 앞두고 확인할 것이 있어 자신들을 찾은 것이라 여겼다. 바둑을 두면서 보아온 그간의 사람됨을 믿었다. 말해도 된다고. 대해부에게는 국가 존망이 걸린 일이었다. 여구와 연희의 일 또한 그랬다. 그것을 결정하기 전에 알아야 했다. 그 종자가 어떤가를.

"천기령에서 칠월칠석 날. 칠성단을 쌓았습니다. 저희 유민의 수장 현고는 칠성단을 개천 변에 세웠습니다. 너무 드러나면 백제 사람들의 질시를 받을 테니 몰래 천제를 지낼 곳이 필요했습니다. 폭포 아래는 용소(龍沼) 일곱 개가 두 쌍이 있습니다. 아래 한 쌍은 사람들이 잘 알고 잘 보이는 곳에 있고, 그 위에 있는 용소들은 사람들 눈에 안 보이는 곳에 있습니다. 그중 네 번째는 큰 계곡으로 진입 자체가 불가능합니다. 겨우 줄로 이은 나무다리를 놓아야 갈 수 있습니다. 그 4 용소에서 칠성단을 몰래 쌓고 천제를 지내려 하고 있었습니다. 그때…"

그랬다. 그렇게 대승(大乘) 폭포 위에 천기령(天氣嶺)이 있었다. 대성산(大聖山)은 북쪽으로는 매우 높은 산줄기를 따라 패수(浿水)와 저 멀리 고구려와 이어지고, 남쪽으로는 열수(洌水) 넘어 태백산, 즉 묘향산 줄기로 이어진다. 천기령은 작은 산이지만 열수 주변에서는 가장 높아서 들판이 모두 한눈에 들어온다. 그 중 제4 용소는 단복이 보기에 한성백제 온 들녘이 다 보이는 천하제일지(天下第一地)였다. 단복의 말이 이어졌다.

"바로 저희가 그곳에 갔습니다. 수두객점에서 모였다가 그 용소를 찾아갔습니다. 거기서 아이의 부친과 어미를 처음 봤습니다."

아이의 부친과 어미? 역시다. 쌍둥이가 아니다. 그 생각이 들자 대해부의 눈빛이 반짝였다. 단복은 초로를 다시 보았다. 이제는 얘기해야 한다. 대해부만큼은 알고 있어야 한다. 그렇게 생각했다. 야마다 열도의 신무기를 만들고 있다. 자칫 한성백제에서 보면 여구는 제거 대상이 될 수도 있다. 그 어미처럼. 그러면 대해부의 절대 보호가 필요하다. 여구가 하는 그 연구와 실험을 한성백제 왕가에서 안다면 천하의 역적이 될 수도 있었다. 단복은 대해부에게 조심스럽게 입을 열었다. 그런데…

"자, 자… 잠깐… 아까 어디라고 했나?"
"예?"

대해부가 순간 말을 더듬었다.

"어… 어, 어디라고 했지? 천제를 지내던 곳. 그곳이 어디라고 했느냐?"
"천기령입니다. 고마성에서 북성으로 가는 길에…"
"분… 분명히 천기령이라 했느냐?"

천기령. 대해부는 천기령으로 가는 길 한적한 산줄기 안에 고하 소도가 있었다는 얘기는 들었었다. 그런데 지금 그날 자신의 큰딸 선화가 죽은 그날, 이 사람들이 천기령에 있었다고 한다. 그해 칠월칠석이 틀림없느냐고 다시 물었다.

"예. 맞습니다. 그날입니다."
"그날 그 용소에 흘러온 여인 하나를 못 보았느냐? 만삭이었다고 했다."

"그… 그걸… 어찌 아셨습니까?"

이번엔 단복이 더 놀라 말을 더듬었다. 그 여인. 여구의 어미다. 자신의 목숨을 희생하여 세상에 여구를 내놓은 그 어미였다. 대해부의 가슴에서 뜨거운 것이 치밀어 얼굴을 벌겋게 달구고 있었다.

"그 여인은 살았느냐?"

"아닙니다. 이미 죽어 있었습니다."

죽었다. 허탈했다. 대해부는 그럴 것으로 생각하면서도 그 말에 허탈했다. 그런 대해부를 보면서 단복은 많은 생각을 하고 있었다. 뭔가 있다. 그러나 그것이 뭔지 몰랐다. 그 여인하고 대해부가도 뭔가 인연이 있을 수도 있었다. 하긴 당시 어느 상단의 호위 무사 일행이 여섯이나 인근에서 죽었다고 했다. 그 상단이 대해부가 상단일 수도 있었다. 단복은 그것이 대해부가 상단이라는 것을 알 리가 없었다. 대해부가의 금기. 누구도 입밖에 내어서는 안 되는 금기 중의 금기는 선화의 일이었다. 그래서 야마다에서는 이제 잊혀진 이야기. 그러니 단복은 대해부와 여구 어미 선화의 관계를 알 수가 없었다. 이것이 탈이었다.

"죽은 여인에게서 아이는…?"

대해부가 바로 추리를 해냈다. 그리고 물어왔다. 단복과 초로
는 서로 눈빛을 마주했다. 죽은 산모. 그리고 제왕절개(帝王切
開). 개복(開腹)해서 세상에 나왔다. 여구가. 그렇게 제 어미
배를 가르고 나왔다. 마치 제 어미는 자신을 제물(祭物)로 해서
칠월칠석 날 한밤중에 하늘의 기재를 태어나게 했는지 모른다.
단복과 초로는 그 어미의 귀한 마음을 늘 가슴에 새기며 어린
여구를 대했다. 대해부의 말꼬리가 급해졌다.

"살았나?"
"…?"
"그래서 길렀나?"
"…!"

대해부의 관심이 곧장 아이, 즉 여구에게 향하고 있었다. 이
때 단복은 근자부를 떠올렸다. 반드시 지키라고 한 엄명 중의
엄명을 떠올렸다. 초로도 그렇게 생각했다. 한성백제에서 천기
령의 여구 어미를 죽인 암살자가 누군지 아직도 모른다. 그래서
지켜야 한다. 그러기로 했다.

"그 아이, 그 아이가 누구인가? 여구인가?"

단복은 심장이 떨어지는 줄 알았다. 수련이 깊은 단복과 초로가 아니었으면 여우 눈치를 가지고 있던 대해부에게 딱 걸렸을 것이었다. 단복은 속마음을 읽히지 않았다. 천기령과 산모로 이미 두세 번 놀란 모습을 보였기에 대해부는 그런 단복이 거짓을 고한다고 보지 않았다. 단복은 담담히 고개를 저었다. 그리고 단호하게 말했다.

"여강입니다. 배를 가르고 나온 아이는 여강이라서 그 어미의 목걸이를 가지고…"
"목… 목걸이가 있나?"
"예. 지금도 여강이 가지고 있습니다. 옛 단군조선의 단동십훈이 적혀 있는 목걸이입니다."

그랬다. 대해부는 이제야 알게 되었다. 이것이 인연이다. 고하 소도 사람들이 이렇게 자기에게로 온 것도 이유가 있었다. 자신이 그렇게 찾던 딸이 혼이 되어 인도한 것이리라. 그래서 그랬구나! 그리 생각했다. 심각하게 많은 생각을 하고 있던 대해부를 보며 단복은 더 물어볼 수 없었다. 물어본다고 애기할 대해부가 아니다. 그리했다. 대해부 처소를 나오면서 단복과 초로는 서로 마주 보았다. 잘한 것이다. 그렇게 하기로 했었다. 현고와 근자부, 그리고 자신들은 하늘의 뜻에 따라서 그렇게 지키기로 미리 약속했었다. 단복은 대해부에게 미안해진다. 하지만 어쩔 수 없었다. 대해부의 속마음을 모르면서 그 아이. 자신들이 목숨을 걸고서라도 지켜야 하는 여구를 꺼내줄 수는 없었다.

미안합니다―

대해부가 한성백제로 가기로 했다. 대륙백제에서 연회와 여강이 일을 다 마치고 돌아오려면 석 달은 걸린다. 그 사이 자신은 한성백제 천기령으로 향하고자 했다. 가서 그 여인. 아니 선화의 시신을 확인해야 했다. 가는 길을 단복에게 앞장서라고 했다. 단복은 채비했다. 여구가 단복에게 어디를 가느냐고 물었다. 천기령 제4 용소에 대해부의 길 안내를 하러 간다고 했다.

그러자 여구가 대신 나섰다. 한성백제에서 가져올 것이 있다고 했다. 그것을 구하기 위해 대해부와 동행을 청했다. 대해부는 잠시 생각했다, 신무기가 급했다. 그러나 마음을 고쳐먹었다. 아무리 급해도 할 것은 해야 했다. 그것이 더 중요했다. 그리하자고 했다. 여구는 단 한 번 기우제를 지내기 위해 천기령 제4 용소를 갔었다. 그러나 그 길은 훤했다. 이상하게도 그 길이 기억 속에서 지워지지 않았다. 꼭 가야 할 이유는 없었지만, 한성백제 고마성에 가면 다시 한번 가 보고 싶었다. 거기서 바라본 한성백제 들녘은 장관이었다.

한성백제를 살펴보아라—

대해부는 여구가 가는 것이 여러모로 더 낫다고 생각했다. 목적이 또 하나 있었다. 한성백제를 살펴야 한다. 한성백제가 열도 야마다를 직할 통치하겠다는 뜻이 있는지를 확인해야 했다. 그 일은 누구보다도 여구가 적임자다. 여구는 다른 누구보다도 그런 것에 밝았다. 그것이 여구의 본능이다. 바로 자신과 같은 직감력과 예지력을 본능처럼 발휘하는 재주. 하늘이 준 재주다. 대해부는 여구와 긴 여정을 함께 할 수 있어서 기뻤다. 재주 있는 사람을 누구보다 아끼는 대해부다. 대해부는 선화를 생각하며 여구를 데리고 딸을 찾으러 간다.

대해부가 흥분해 있었다—

고령(高齡)의 대해부는 뱃길이 힘들었다. 그래서 여구는 힘들

지 않게 손가락을 이용한 곤지압법으로 대해부에게 기(氣)를
불어넣어 주었다. 이틀에 한 번씩, 반 시진 정도 대해부의 혈
자리들을 우로 열다섯 번, 좌로 열다섯 번을 돌려주었다. 그렇
게 하면 그동안 막혔던 혈들이 풀리고 기력을 되찾기 시작한다.

대해부도 처음엔 매우 아팠다. 그래도 체신을 지켜야 했다.
눈을 감고 아픈 것도 즐겁게 생각하니 곧 시원해졌다. 전신에
활력이 돌기 시작했다. 매우 아픈 곳의 혈 자리는 처음은 무덤
덤하고, 곧 시원해지다가, 세 번째는 몹시 아프고, 네 번째는
조금 아프다가 졸리고, 다섯 번째는 시원하면서 졸음이 온다.
돌릴 때마다 같은 혈 자리에서 다른 반응이 왔다.

"왜 열다섯 번인가?"
"오행(五行)을 삼(三) 하여 열다섯 번입니다."
"왜 오른쪽으로 먼저 하고 나중에 왼쪽으로 돌리는가?"
"사물의 이치가 그러합니다. 덩굴나무들도 오른쪽, 왼쪽으로
감아서 올라갑니다. 팽이 또한 오른쪽으로 기를 넣어 돌립니다.
그렇게 넣고 풀리면… 제자리가 되겠지요. 그래야 제정신을 차
린 세포들이 활활 살아나게 될 것입니다. 제가 저 스스로 해보
니 그런 이치를 따르는 것이 가장 효과가 있었습니다."
"왜 이리도 아픈 것인가?"

"소통, 무통, 불통, 즉 통. 기(氣)가 통하면 통증이 없고, 기가 막힌 혈 자리는 아픈 것입니다. 마가에서 기가 매우 잘 통하는 아이들에게 해보면 살살 잠을 잡니다. 같은 힘으로 크게 아픈 사람에게, 어른에게 해주면 자리에서 벌떡 일어설 정도로 아파합니다. 우리 몸을 구성하고 있는 음양의 기운이 안정적으로 운행하도록 오장육부와 연결된 혈 자리를 오른쪽과 왼쪽으로 알맞게 돌리면 무병장수할 수 있습니다."

음양(陰陽) 오행(五行)의 이치(理致)를 저 스스로 알고 있다. 이 여구는. 침도 아니고 뜸도 아닌 오래된 방법을 찾았다고 했다. 어떻게 찾았는가 물었더니 옛 단군조선 시대의 것이라 했다.

"형의 목걸이에 쓰여 있던…"
"아, 아프구나…"
"여기는 혈 자리는 아니나 피부색이 다르거나 피부 온도가 유난히 다르고, 또 종기가 난 곳을 이렇게 해보면 매우 아픕니다. 저는 이를 아시 혈 자리라고 합니다. 그런 자리들을 돌려주면 당장 아픈 곳이 현저하게 나아집니다."
"이 지압법을 뭐라 한다고 했느냐?"
"곤지압법입니다. 건강을 챙기고 병을 손가락으로 고치는 법.

그래서 이름 하여 곤지압법(坤指壓法)이라 했습니다. 하늘의 정기를 받은 인간의 몸은 대지입니다. 땅이며 물질입니다. 이를 누르고 태극의 운행 이치로 돌려서 활성화 시켜주는 것이 원리입니다."

이때, 대해부는 그 말을 듣고서도 놓치고 있었다. 곤지압법으로 누른 곳이 너무 아파서 형의 목걸이에 쓰여 있다는 그 말을 흘려들었다.

대해부는 이런 여구와 보름 걸릴 바닷길이 즐거웠다. 비록 딸의 시신을 찾으러 가는 길이었지만 여구가 있어서 그나마 위안이 되고 있었다. 여구는 대해부가 마음이 상해 있는 것을 알고, 몸과 마음을 위로하고 치료하고 있었다.

運 움직이는
三 삼이
四 사를
成 이루고
環 둥글게 에워싸면
五 다섯과
七 일곱이니

一 하나가
妙 빼어나고 훌륭하게
衍 넓어지면

三 삼이

모였다. 비류왕과 왕비 하료, 왕자 설거가 모였다. 대해부가
한성백제로 왔다. 뵙기를 청했다. 비류왕에게는 너무도 의외였
다. 대해부가 자신과 왕비 하료에게 열도 야마다 일로 상의를
해야 한다며 보기를 청하다니. 선화의 일로 비류왕을 멀리하던
대해부였다. 비류왕 여호기 자신도 마찬가지였다. 미안함에 대
해부를 볼 수가 없었다. 대해부를 보면 선화의 일이 떠오를 것
같았다. 그런데 왕비 하료까지 보자고 한다. 대해부의 속을 알
수가 없었다. 그래서 모두 모여 숙의를 해야 했다. 어디서 어떤
얘기가 나올지 미리 가늠해 보아야 했다.

칠용소다―

　생각보다 험했다. 누구도 들어올 수 없는 곳. 거기 위에 또 7개의 용소(龍沼)가 있었다. 그중에서도 제4 용소(龍沼). 들어오는 길이 없다. 이곳으로 들어오려면, 사람들이 다니는 길이 아닌 반대쪽에서 돌아서 들어와야 했다. 천기령(天氣嶺) 계곡은 사람들이 주로 다니는 길이 아니다. 사람들이 다니는 길을 따라 오르면 이 칠용소들은 보이지 않는다. 커다란 바위벽이 가로막혀 있다. 작은 용소들이 있는 것을 누구도 볼 수가 없다. 칠용소 아래에도 다섯 개의 커다란 물웅덩이가 있다. 그리고 두 개의 고인 물을 합해 사람들은 그것을 천기령의 칠용소라 불렀다. 그러나 실제 천기령의 칠용소는 다른 곳에 있었다. 이곳은 오직 선인들만이 아는 곳이었다. 사람들이 다니는 길에서 보면 반대편 산줄기와 절벽에 주욱― 막힌 곳을 넘어야 했다. 호랑이도 뛰어넘지 못하는 깊은 계곡 하나가 더 길을 막았다. 그 계곡에 줄다리를 놓아야 겨우 건널 수 있었다. 나무다리를 놓고 줄에 의지해 건넌다. 다 건너면 다리를 아래로 늘어뜨려 보이지 않게 없앴다. 바깥 줄다리 길을 없애면 들어올 방법도 밖에서 안을 쳐다볼 수도 없었다.

예서 기다려라―

그곳에 도착했다. 혹시나 싶어 대해부는 호위 무사들을 멈추게 했다. 숨겨진 상단(上段)의 칠용소로 들어가는 길 인근에 도착하자, 여기서 다들 기다리라고 했다. 그리고 간단한 제기와 제물을 여구에게 들게 했다. 그렇게 여구와 둘이서만 들어갔다. 단복의 얘기대로 줄다리가 교묘하게 숨겨져 있었다. 이를 모르는 이들이 찾아오기는 불가능해 보였다. 탄복했다.

"여기냐?"
"예."
"좋다. 정말 좋다."

대해부는 자신이 무엇 때문에 이곳에 온 지도 순간 잊었다. 그만큼 훌륭했다. 풍수지리에 대한 식견이 없는 천인(天人)은 없다. 대해부는 풍수에도 능했다. 지리 역학의 관점에서 보면 단복과 초로의 말이 옳았다. 천하 명당이다. 천하제일지(天下第一地). 들판이 모두 한눈에 들어온다. 고마성 일대의 곡창지대도 보인다. 강을 통하여 황해로 넘나들 수 있는 수운과 해운의 요지였다. 그 도읍지가 다 보였다. 천혜의 도읍지다. 산과 강. 넓게 두른 그 땅. 여기는 대륙과 멀어 안전지대다. 항상 백성이 안심하고 살 곳이었다. 서쪽 대륙과 육지 남쪽으로 진출하기도 좋아 보였다. 날씨가 좋으면 그 너머 바다가 보일 듯 했다. 바다와 만백성의 도읍지와 넓게 두른 산들과 강줄기가 다 보였다. 여기 백제 천하가 보인다. 그 명당에 지금 서 있었다. 대해부가 여구와 함께.

먼저 제단을—

대해부는 아무리 급해도, 자신의 딸이 틀림없어도 먼저 예를 갖추기로 했다. 자신도 그리고 여구도 같이 절을 했다. 대해부는 확인해야 했다. 이 안에 자신의 큰딸이 있을 수도 있었다. 그 표식이 시신 위에 있을 것이라 했다. 확인하고 맞으면 열도로 데려가려고 했었다.

여구는 대해부의 사연이 궁금했다. 그러나 묻는다고 말해줄 것 같지도 않았다. 이 기분, 지난번 기우제 때에도 느꼈었다. 절을 하면서 느껴지는 뭔가 뭉클한 그것. 아무리 경치가 좋아도 가슴이 저며지는… 아마 용소로 떨어지는 물줄기 소리가 그러한 기분을 만든다고 생각하고 있었다.

"돌을 치워라."

"예?"

"이제 돌들을 치워라!"

대해부가 느닷없이 제단의 돌들을 치우라고 했다. 그 제단. 돌무더기 아래 무엇이 있기에 이럴까 싶었지만, 오히려 궁금하던 차에 잘 되었다고 여겨 열심히 돌들을 들어 옮겼다. 사연은 곧 밝혀질 것으로 생각했다.

있다—

문양. 바로 대해부가 큰딸 선화가 좋아한 남만의 귀걸이와 반지. 제 어미 것이었다. 이 문양을 가진 것은 없다. 적어도 한성 백제에는 없다. 어떻게 대해부가 잊으랴. 자신이 선화와 인화의 어미에게 준 것이었다. 그 어미의 것을 받고서 큰딸 선화가 얼마나 좋아했는데…

어흐—

울었다. 호랑이가 운다. 대해부가, 이 늙은 호랑이가 어흐— 어흐— 울음을 토해낸다. 여구는 어찌할 바를 몰랐다. 대해부가 운다. 너무도 서럽게 그 기이한 귀걸이와 반지를 손에 쥐고 울음을 토해낸다. 일찍 죽은 부인을 대신해 키웠다. 언젠가는 귀한 사내 만나 내해(內海) 일원을 다스릴 대군장을 낳을 큰딸이었다. 절대무왕. 무존을 낳을 그 귀한 큰딸이었다. 그런데 이렇게 하늘의 제물이 되다니… 복장이 터지는 것 같았다. 심장이 오그라들고 있었다. 가슴을 쥐어짜며 어흐- 어흐- 호랑이 울음이 쏟아지고 있었다.

"어르신… 어르신…"

대해부가 쓰러졌다. 혼절한 것 같았다. 여구는 급히 곤지압법으로 열 손가락 맨 끝을 강하게 돌렸다. 대해부가 잠시 후 깨어났다. 대해부는 여구를 보고 있었다. 대해부의 주름진 얼굴에는 눈물이 가득했다. 앞에 선화가 울고 있었다. 아비를 보고 울고 있었다. 그 선화를 보고 대해부는 또 울었다.

어르신 정신을 차려야 합니다-

그래 정신을 차려야 한다. 대해부는 그렇게 여구의 말에 정신을 가다듬었다. 심장을 다스려야 한다. 이러다 죽으면 낭패다. 깊은 심호흡으로 몸을 추슬렀다. 그리고 결심했다. 승부를 보아야 한다. 백제와 새로운 관계를 맺어야 한다. 그리고 여기. 딸,

선화가 묻힌 이곳은 명당이다. 당장 발복 할 곳이다. 이곳. 어쩌면 하늘이 선화에게 자리를 마련한 것인지도 모른다. 여기를 선화의 무덤으로 하자! 절대무왕의 어미가 명당 천하제일지에 묻힌 것을 본 것으로 만족하기로 했다. 여구에게 돌무덤을 정성스럽게 다시 쌓게 하고 마음을 가다듬고 천기령을 내려왔다. 더 울고 싶었지만…

야마다가 위기였다―

대륙백제에서 아비인 설리는 딸 연희를 오랜만에 보았다. 단둘이 밀담을 나눴다. 연희의 태도가 보통 심각한 것이 아니었다. 연희는 설리에게 대해부의 얘기를 전달했다. 설리는 그 말에 수긍했다. 그리고 그 자리에서 설리는 또 다른 얘기를 하나 더 들었다.

이제 곧 백제의 큰 신녀요, 큰 군왕이 되실 것입니다―

그 얘기였다. 여구와 함께 연희가 백제 대천관 신녀를 만났을 때, 신녀는 연희에게 백제의 대천관 신녀가 될 것이라고 했다. 그리고 작은 것을 잃어 더 큰 것을 얻는다고 했다. 그 얘기를 아비 설리에게 해주었다. 설리는 그 말뜻이 무엇인지 알았다.

자신에게 흑천 현녀가 가르쳐준 신탁이 떠올랐다.

"왕재가 너무 지나치십니다. 그러니 스스로 왕이 되실 수도 있습니다. 분명히 이어집니다. 다음 아니면 그 다음으로… 반드시 보실 겁니다. 큰 군왕이 아니 되시면 그 대군왕이 왕자님의 후손에서 나실 것입니다."

대륙백제에서 절치부심(切齒腐心)하는 이유다. 자신이 살아서 보아야 한다. 자신이 아니면 자기의 후손. 직계 후손 중의 하나가 대군장이 된다. 그 왕재가 있다. 갖은 수모를 겪으면서도 대륙백제의 좌장으로 비류왕 여호기를 모시는 이유다. 그러니 연회의 신탁이 쉽게 이해되었다. 자신의 적자들, 즉 정실부인의 자식들은 일견 훌륭한 장수와 재목들이다. 그러나 연회와 같은 왕재는 아니었다. 그런 연회에게 백제 대천관 신녀의 신탁은 자신이 보아온 그것과 같았다. 과단성과 모험심. 두려워하지 않는다. 그리고 인물을 보는 탁월한 눈은 연회만의 특출한 재주다. 볼 줄 안다. 귀한 것과 천한 것을 한눈에 본다. 다르다. 아무리 다른 이들이 귀하다고 해도 귀한 줄 모른다. 그러나 다른 이들이 귀하지 않다고 여기는 것에서 정말 귀한 것을 찾아낸다. 사람도 그랬다. 아무리 천해도 자신이 귀하게 보았다면 발탁하여 귀하게 쓴다. 그런 아이. 연회가 왕재였다.

"그리 말씀드려도 된다. 나는 하겠다."

연희는 큰일을 해냈다. 아비 설리가 대해부의 방책에 일신의 위험을 무릅쓰고 따르기로 했다. 한성백제를 견제하기 위해 대륙백제에 긴장감이 돌 것이다. 그렇게 하면 한성백제는 당분간 열도 야마다를 정벌할 생각을 하지 못하고 지금처럼 교류만 하려고 할 것이다. 친정은 불가능해진다. 그 사이 힘을 길러야 한다. 한성백제에 한순간에 나라를 바칠 수는 없었다. 뱃길을 서둘러야 했다. 이제 여구가 있는 열도로 돌아가면 된다.

행복한 사내다—

여강은 연희와의 백제행이 그저 좋기만 했다. 주변에서 자신과 여구를 향하여 벌어지고 있는 일련의 사태를 조금도 눈치채지 못하고 있었다. 오직 연희와 함께 대륙백제 행을 하고 있다는 사실에 기뻤다. 다만 연희는 대륙백제 위례성으로 오는 내내 여구 얘기만 했다. 아직도 연희는 단옷날 일을 여구와의 기억으로 갖고 있다. 그런 연희에게 자신이었다고 말할 수 없었다. 그 일을 꺼낼 수도 없었다. 미안한 마음. 두 사람 모두에게 있었다. 하지만 여강은 그런 연희를 보면 볼수록 가슴이 뜨거워졌다. 다시 한번 품에 안아보고 싶어 자신의 몸을 주체하지 못했다. 그래도 그리할 수는 없었다. 그것이 간혹 여강을 힘들게 했다.

힘들다—

대해부의 눈초리가 매섭다. 비류왕 여호기는 예의를 다하는 대해부를 보면서 두려운 생각이 들었다. 많이 늙었다. 왕도 대해부도 그렇게 서로의 세월에서 나이가 들어가고 있었다. 이십여 년이 흘렀다. 이제 대해부는 고령(高齡)으로 뒷날을 기약하기가 쉽지 않은 모습이었다. 이 먼 길을 어찌 왔을까. 그만큼 중대한 일이라 여기고 대해부를 맞이했다. 왕에 대한 예우와 별도로, 대해부는 큰딸 선화의 일로 비류왕 여호기에게 무언(無言)의 질타를 하고 있었다. 비류왕 여호기는 힘들었다.

힘든 사람이 또 하나 있었다. 여구였다. 한사코 대해부는 여구를 데리고 입궁했다. 왕과 왕비를 만나는 자리에서 대해부는 여구를 대해부가의 새로운 백제 상단 대행수로 소개했다.

여호기다—

왕비 하료는 여구를 보는 순간 숨이 멎는 줄 알았다. 딱 여호기였다. 자신이 처음 보았던 청년 시절의 여호기. 그 여호기가 눈앞에 또 하나 있었다. 마치 그 시절로 되돌아간 것 같았다. 얼굴뿐 아니라 전체적인 모습이 느낌도 그랬다. 사내 냄새. 잘 정돈된 야생. 싱싱함. 그때 왕비 하료는 처음으로 사내에게 눈길이 갔었다. 바로 청년 여호기를 내 사람으로 갖고 연모를 품었다. 그 시절 무예대전에서 우승할 때 건장했던 여호기를 다시 보는 것 같았다. 숨이 막혀온다.

대해부가 찾았다ㅡ

하료는 바로 알아보았다. 대해부가 여호기 아들을 찾아서 데리고 온 것이다. 그런 생각으로 좌불안석(坐不安席)이 되었다. 왕비 하료는 대해부가 선화의 아들을 먼저 찾은 이상, 비류왕에게 어떤 거래를 요구할지 모를 일이었다. 고구려 고주몽(高朱蒙) 태왕(太王)도 유리왕에게 고구려를 넘겼다. 결국 소서노 모태후가 비류와 온조 왕자를 데리고 고구려를 떠나야 했다. 지금 왕비 하료의 생각이 거기까지 이어지고 있었다.

"그렇게 하시지요, 하지만 그 일만으로 이리 오셨습니까?"

겨우 대해부가에서 백제 고마성 궁궐에 출입할 차기 행수를 소개하기 위해 이 먼 길을 왔다는 말인가. 그 보기 싫어할 비류 왕 자신을 보면서까지. 그런 말뜻이었다. 비류왕의 말을 듣자 왕비 하료 역시 대해부의 다음 대답이 기다려졌다. 다른 것이 있다. 역시… 너 비류왕의 아들을 내가 찾아왔다. 이 말을 하고 싶은 것이로구나. 그렇다면 자신을 부른 이유가 궁금해졌다.

"천기령에서 무덤 하나를 찾았습니다. 사라졌던 저희 대해부 가의 행수였습니다."

청천 병력. 대해부가 알았다. 자신의 딸. 대놓고 백제 왕실에 는 말하지 못하는 그 큰딸의 무덤을 찾았다는 것이다. 왕비 하료도 비류왕 여호기도 놀랐다. 대해부는 그런 두 사람을 번갈아 쏘아보고 있었다.

"그… 그렇습니까? 참… 참으로 다행입니다."

비류왕이 왕비 하료를 의식해서 침착한 척하며 말했다. 왕비 하료는 이제 대해부의 눈빛이 자신을 노려보는 것으로 생각했 다.

네가 죽였다-

알고 애기하는 것 같았다. 잠시 침묵이 흘렀다. 대해부는 이
제 자신과 열도의 모든 것을 건 거래를 해야 했다. 침묵이 길었
다. 그것이 비류왕과 왕비 하료, 두 사람을 더 긴장시켰다. 그
리고 그 이야기가 흘러나왔다. 대해부가 말했다. 의외였다. 야
마다. 연희 문제였다. 비류왕에게 직접 대고 애기를 했다.

"태자님 문제입니다."
"걸걸에게 무슨 문제라도 있습니까? 태자가 대해부께 잘못한
것이 많습니까?"
"아니. 실은 제 손녀에게 문제가 있습니다."
"무슨 문제입니까?"
"태자님께 제 손녀를 드리기가 좀 어렵게 되었습니다."
"아… 아니 무슨 말씀을. 이미 수양딸을 둘씩이나 주셨다면서
요."

이거라면 여기서 멈춰야 한다고 비류왕은 생각했다. 야마다
비미호 차기 여왕인 연희를 얻기는 애초에 틀렸다고 마음을 접
었었다. 그래서 수양딸 둘을 주고 여덟의 귀족 여식들을 주었으
니, 후실 스물이면 이제 됐습니다. 그렇게 비류왕은 정리했다.

대해부도 알아들었다. 그리고 왕비 하료를 보면서 다시 대해부가 말했다.

"실상 문제가 생긴 것은… 그게… 제 손녀가 다른 사내를 품었다는 것입니다."

그 얘기에 왕비 하료의 눈매가 변했다. 실은 여호기와 선화의 일로 내심 꼬여 있는데. 그 일 비슷하게 지금 대해부가 하료에게 얘기하고 있었다. 왕비 하료는 긴장을 넘어 기분이 나빠졌다. 한성백제의 왕자들이 있는데 다른 남자를 품어? 그래서 수양딸을 주고 연희를 빼돌렸구나. 그 사내가 누구인가. 다른 나라 왕족인가? 이런 복잡한 생각과 뒤틀린 심사가 보였다. 그걸 대해부가 놓칠 리 없었다.

역시 왕비 하료다─

하료의 불편한 심기는 야마다보다는 여호기와의 일 때문이었다. 그러나 대해부는 야마다에 대한 욕심으로 그것을 읽었다. 왕비 하료는 백제와의 조약을 꺼냈다.

"약속 위반입니다."

"그래서 이렇게 제가 노구를 이끌고 직접 왔습니다. 죄를 청하고자 왔습니다."

아, 이런 약속이 있었구나. 그제야 여구는 연희 공주와 백제 왕실과의 거래 내용을 확실하게 눈치챌 수 있었다. 혼인. 정비, 왕후는 아니더라도 백제 왕자와 부부 인연을 맺어야 했다. 그것이 연희의 운명이었다.

"아… 아닙니다. 이미 대해부께서는 수양딸을 둘씩이나 주셨습니다."

비류왕이 막았다. 실은 큰딸 선화까지 셋이 아닌가! 이 일을 여기서 그저 멈추고 싶었다. 더 길어지면 그 얘기까지 들추어질 것 같았다. 그래서 대해부의 말을 막았다. 그러나 왕비 하료는 멈추지 않았다.

"누구입니까? 그 정분이 난 사내는?"
"그게 그렇습니다. 천한 호위 무사입니다."

연희가 정분이 났다? 호위 무사랑? 누구지? 이런 생각으로 여구는 자리에 동석해 있었다. 그랬나? 아닌데… 대해부는 왜 이런 말을 하고 있을까. 그렇게 다소 의아해하며 이야기를 듣고 있었다.

"천한 호위 무사하고 정분이 나서 백제 왕실을 능멸했다고요?"

"송구하게 되었습니다. 저의 목이라도 내놓겠습니다."

"대해부께서 그리 말씀하시니… 아… 아닙니다. 그… 그럴 수 있지요."

왕비 하료가 그렇게 말하는 비류왕 여호기를 쳐다보았다. 너도 그랬지. 무엇이 겁이 나서 대해부가 스스로 죄를 청하는데 극구 막아서는가. 그런 추궁이 담긴 눈초리였다. 대해부가 결정적인 말을 던졌다.

"그래서 말입니다. 걸걸 태자님을 우리 야마다의 천인(天人) 아니 천왕(天王)으로 모시고 싶습니다."

"예?"

비류왕 여호기와 왕비 하료가 깜짝 놀랐다. 천왕으로 모신다. 그 난봉꾼을. 이런 생각이 하료에게도 들었다. 그러나 이는 곧 백제의 직할 통치가 아닌가. 거절할 이유가 없다. 대해부가 이리 나오다니… 하료는 이제 긴장이 물러나고 기쁨이 가득해졌다. 횡재다. 하료가 막― 비류왕을 쳐다보자 비류왕의 표정이 갑자기 침통해졌다.

"이… 이러시는 연유가 있으십니까? 백제를 못 믿으십니까?"

비류왕은 읽고 있었다. 백제가 다른 생각이 들기 전에 아예 먼저 가지시지요. 바치라면 바치겠습니다. 대해부는 이렇게 묻고 있는 것이다. 야마다를 가질 생각이 있느냐? 친정하여 속국으로 만들 생각이 있는 것이냐? 이것이 비류왕이 읽은 대해부의 속내였다. 비류왕의 생각이 대해부에 닿아 있었다. 아니면? 어떻게 할 것인가. 앞으로 백제와 야마다는 어떤 관계가 되어야 하는가에 대해 묻고 있었다.

"제가 억지를 쓸 리 있겠습니까? 그저 우리 태자 걸걸을 잘 돌보아 주시기 바랍니다. 태자를 태사자로 했으니… 상징적인 열도 백제인들의 수장으로 대해주시기만 하면 됩니다. 야마다 군장. 좌장으로 하시면… 여왕을 잘 모시게 할 것입니다. 그리하도록 하겠습니다."

이렇게 비류왕은 대해부의 의도를 읽고 태자 걸걸을 야마다의 태사자 겸 백제인 수장으로 하게 했다. 그것이 바른 것이다. 대해부는 백제와의 관계를 걱정하고 있었다. 왕비 하료는 이것으로 큰 복이 굴러 왔다고 생각했다. 태자 걸걸이 열도의 주인이 될 수도 있었다. 싸우지 않아도 이렇게 바치러 오지 않았는가.

주는 것은 받아야 한다―

왕비 하료는 대해부와 그 여호기를 닮은 여구라는 청년이 떠나자 왜 그냥 다 받지 않았냐고 비류왕에게 따졌다. 이제 나이가 들어 총기가 흐려진 것이 아니냐. 마다할 이유가 무엇이냐? 하고 핏대를 세웠다. 비류왕은 그리도 사람을 모르느냐고 했다. 대해부가 본뜻이겠느냐고 했다. 사후에 대한 염려로 온 것이니 다시는 관여 하지 말라고 했다. 왕비 하료가 물러났다. 대해부도 죽고 비류왕이 아닌 자신의 아들 중의 하나를 왕으로 세우면 그때 가서 야마다를 다시 도모하면 될 일이었다.

궁을 나서면서 대해부는 한성백제 고마성을 살피고 있었다. 군비에 대해 준비를 하는지… 한성백제 사람들이 열도 사람을 어찌 보고 있고, 고마성 내의 권력구조가 어떻게 변하고 있는지를 살피고 있었다.

"어떻게 보느냐?"

"예?"

"왕비가 어찌 보이느냔 말이다."

"넘치는 욕심이 보였습니다. 얻으려 했습니다. 가지려 합니다. 그러면 얻지 못합니다. 하늘의 뜻도 그러합니다. 땅도 그러합니다. 얻으려 하면 잃게 됩니다. 오직 하나 사람을 얻으면 하늘의 뜻도 땅도 얻는 것이 바른 이치인데… 왕비께서는 그러지 아니한 것 같습니다."

"왕은 어떠한가?"

"예. 왕은 사람을 더 귀하게 생각하는 것 같습니다. 다만… 비류왕의 용태에 이상이 있는 것 같습니다."

"옳게 봤다. 맞다. 여호기는 그런 사람이다. 아직 변하지 않았구나. 그것은 다행이다. 다행. 그러나 비류왕의 건강에는… 뭔가 이상하구나. 말도 더듬고… 조급증이 보이는구나. 몸은 예전 같지 않으나 심성은 그대로인 것 같아 다행이다."

뭐가 다행이라는 것인가. 여구는 묻고 싶었다. 왜 연희공주가 정분이 난 것으로 만든 것인지도 묻고 싶었다. 그러나 대해부의 표정이 너무도 강경하고 또 한성백제에서 살펴야 할 일들이 너무도 많았다. 대해부와 여구는 그렇게 고마성에서 일을 마쳤다.

運 움직이는
三 삼이
四 사를
成 이루고
環 둥글게 에워싸면
五 다섯과
七 일곱이니

一 하나가
妙 빼어나고 훌륭하게
衍 넓어지면

四 사를

네 명의 비밀 무사를 골랐다. 왕비 하료는 모든 것을 걸고 열
도에서 대해부의 손자, 선화의 아들을 제거해야 한다고 생각했
다. 왕자 설거와 별개로 다른 자에게도 명령을 내리기로 했다.
듣기에 그 아이 무예실력이 당대에 손꼽힌다고 했다. 자신이 보
기에도 그러했다. 하료는 여구라고 생각했다. 설귀를 불렀다.
당대 최고의 백제 무사. 그 설귀에게 명령을 내려야 했다.

설귀는 한성백제 무사들의 대 스승이다−

설귀는 대륙백제 설리의 사람이었다. 그래서인지 더는 승급할 수가 없었다. 내신좌평은 물론 병관좌평을 능히 하고도 남을 사람인데 그러지 못했다. 그리고 여전히 훈련원 태감으로 있었다. 전쟁터를 누벼야 할 장수 중의 장수가 자신의 후견인이었던 설리의 실각으로 같이 묻혀 있는 것이다. 왕비 하료는 이를 활용하기로 했다. 제2 왕자의 스승을 부탁했다. 스승이 되고 후견자가 되어 달라고 했다.

명이 아닌 부탁입니다—

열도에서 한 사람을 없애달라고 했다. 병관좌평에 대한 불만을 왕비 하료는 일부러 설귀 앞에서 했다.

병관좌평을 주겠다—

말뜻을 못 알아들을 설귀가 아니었다. 백제 최고수 무사 세 명을 이끌고 열도로 향했다. 이는 아무도 모르게 처리해야 할 일이었다. 왕비 하료는 한 여인을 데리고 가라 했다. 왕비족 진씨가의 젊은 여자였다. 초행길을 안내하고 방안을 만들어줄 것이라 했다. 가는 명분도 될 것이라 했다. 진하연(辰夏然). 백제 제일 지녀라고 불리는 진하연을 수행해서 가는 것으로 했다. 백제 최고의 무사. 무사 중의 무사들이 열도로 향했다.

이제 곧 만난다–

연희는 만사를 불문하고 열도로 향하고자 했다. 여구 때문이었다. 그런 연희를 보면서 여강은 비참함이 몰려 왔다. 대륙백제 위례성 변에 있는 대해부가 상단 객점에서 하루도 더 묵지 않았다. 아비 설리를 만나고 대륙백제의 급한 일과 대륙 정황들이 취합되자 곧 배를 띄우라 했다. 석 달 일정을 한 달 반으로 대폭 줄였다.

내해(內海). 대륙백제 위례성이 있는 포구에서 열도까지는 무려 1만 2천 리가 넘었다. 한성백제를 거쳐, 나주벌 인근을 지나면 때론 신라로 때로는 탐라국을 넘어 임나를 지나야 열도 야마다 연해에 도착한다. 그 길을 서둘렀다. 매일 수부(水夫)들을 재촉했다. 그런 연희를 보면서 여강은 괴로웠다.

나는 왜 이러는가–

여강은 숙소에서 밤마다 자신의 육체와 싸우고 있었다. 연희가 옆방에서 자고 있다. 연희가 씻고 있다. 연희가 먹고 있다.

연희가 걷고 있다. 연희가 웃고 있다. 빈틈없이 연희가 들어차
있다. 그날처럼 온전히 한 번 더 품고 싶었다. 연희가 다가오면
그 살 냄새에 숨이 막혔다. 덥석- 안아 버리고 싶었다.

씻는다-

잠 못 드는 밤이면 여강은 씻었다. 부정한 생각을 씻을 요량
으로 씻고 또 씻었다. 그러던 중 배가 떠나기 전날, 여강은 느
꼈다. 누군가 자신을 보고 있었다. 그 시선. 연희의 방이었다.
불이 꺼진 방. 그 안에서 누군가 자신을 보고 있다는 것을 느낀
다. 무예 고수 여강에게는 남의 기운이 본능처럼 느껴진다. 여
강은 자신의 몸을 과시했다. 그 강한 사내의 몸. 전신을 보이고
싶었다. 당신이 품은 그 몸이 바로 이 몸이다. 그리 보여주고
싶어졌다. 자신도 모르게 바지춤으로 손이 갔다. 내리는 것을
연희가 보고 있었다.

연희가-

여강의 목에 걸린 목걸이. 그것이 청옥 청동환 신패다. 저 신
패. 그림에 있었다. 바로 위(倭) 야마다 비미호 여왕 신녀(神
女)의 잃어버린 그 신패(信牌)와 똑같았다. 여강의 목걸이를 몰

래 훔쳐보고 있었다. 사내다. 여강은 무예를 익힌 제대로 된 사내다. 어쩌면 여구와 비슷했다. 그러나 여강은 더 단단해 보였다. 사내의 웃통이 목걸이보다 먼저 눈에 들어왔다. 야마다의 운명이 걸린 그 목걸이를 보아야 하는데… 연희는 그만 훔쳐보는 것을 관두기로 했다.

그날 밤. 연희도 여강도 꿈을 꾸었다. 여강은 다시 연희를 품었다. 연희도 꿈을 꾸고 있었다. 연희는 꿈속에서 여구와 행복한 밀어를 나누고 있었다.

네가 천인의 후계다―

연희의 정인(情人)이 되어야 한다. 알겠느냐? 이것이 대해부가 열도로 배를 타고 오며 여구에게 한 말이다. 백제 태자나 왕자가 아니라 여구 자신에게 연희를 부탁하고 있는 것이다. 이제 여구, 네놈을 통해 이루리라. 대해부는 이미 오래전부터 여구가 그런 재목임을 알고 있었다.

사람이란 하늘과 땅의 마음(人者天地之心也)이다―

민(民)은 다릅니다. 사람과 백성. 인(人)과 민(民)의 차이를 알고 있었다. 민(民)은 곧 맹(氓)이다. 전쟁 포로의 한쪽 눈을 찔러서 노예로 썼다. 그 맹인이 바로 민(民)이다. 그런 잔혹한 역사가 숨겨져 있는 글자요. 이름이 아닌가. 재난을 당하면 난민(難民)이 된다. 혼란을 겪으면 난민(亂民)이 되며, 집을 잃고 떠돌면 유민(流民)이 된다. 나라를 빼앗긴 유민(遺民)도 있다. 경제적으로 어려우면 서민(庶民)이지 바로 선 사람(人)이 아니다. 서러운 사람들은 물과 같다. 물은 배를 띄울 수도 있고, 또 뒤엎을 수도 있었다. 군자주야서인수야(君者舟也庶人水也). 그 서인(庶人). 서러운 사람들이 바로 민(民)이라는 사실을 여구는 알고 있었다. 백 가지 사연들을 가진 서러운 백성, 민심(民心)의 한(恨)을, 그 마음을 여구는 알고 있었다. 대해부는 그것으로 됐다. 모든 것을 여구에게 걸었다. 모든 것을 걸어 여구와 함께하리라.

여구—

모든 것을 건 사람들이 또 있었다. 단복과 초로. 옛 단군조선의 선인들도 그랬다.

그렇듯—

근자부는 동명성왕검이 있음을 확신했다. 그리고 흑천의 비기(秘記) 또한 망자(亡者)의 섬 안에 있을 것으로 생각했다. 그것이 무엇인지 밝혀서 여구에게 줄 것이다. 한성백제를 떠나올 때 비류왕 여호기에게 편지를 남겼다. 여호기는 이제 제 아들을 찾았을 것이다. 고하 소도에 가면 스스로 알 일이었다. 여구를 보면 자신의 피가 당길 것이다. 눈치 빠른 대천관 신녀가 있기에 여구를 보면 여호기를 느낄 것으로 생각했다. 자신이 느낀 것처럼. 비류왕 여호기에게 아무도 몰래 고하 소도를 찾아가라! 하고 서신을 남기고 떠나왔기에 둘이 만났을 것으로 생각하고 있었다. 그리고 자신은 망자의 섬, 은퇴자의 산으로 비기(秘記)를 얻기 위해 들어갔다.

은퇴자의 산은 깊었다. 두 사람 또는 세 사람이 살아 있다고 했다. 한 분은 근자부의 스승이었다. 두 분은 스승보다 나이가 많다고 했다. 누군지는 알 수 없었다. 그런데 찾을 수가 없다. 산은 험했다. 달빛에 기암괴석 암벽들이 정기(精氣)를 뿜어낸다. 은퇴자의 산 곳곳을 살폈다. 조그마한 단서라도 찾기 위해 밤낮으로 산을 뒤졌다. 봉우리만 다섯 개였다. 사람의 흔적이 보이지 않았다. 다 죽었나? 산에는 맹수들도 있었다. 괭이와 늑대는 흔했다. 그 늑대들도 근자부는 피했다.

동명성왕검을 찾아—

대해부는 여구에게 대선사 근자부에 대해 얘기해주었다. 옛 단군조선의 선인(仙人). 망자의 섬에 대해 얘기해주었다. 근처를 잘 못 항해하면 나침반의 철심이 빙글빙글 돈다. 방향을 알 수 없다. 항상 안개가 끼어 있는 그 바다를 지나가야 했다.

대선사를 만나 거라—

야마다에 도착하면 연통을 해 놓기로 했다. 나주벌의 교역장에 들러서 가기로 했다.

나주벌이 달라졌다. 야마다 대해부가의 백제 식읍(食邑). 이곳이 원래의 그 나주벌이 맞는가? 풍년이다. 풍작. 사람들은 공손하다. 친절하고 정(情)이 넘쳤다. 해적질해야 할 필요도 없었다. 인근 해적들도 양민이 되었다. 자진해서 농부가 됐다. 그렇게 나주벌에 새로운 나라가 세워지고 있었다. 성읍도 제법 그럴 듯 했다. 대해부는 나주벌을 보면서 조상님들께 감사했다. 이 벌판에 커다란 무덤을 하나 만들고자 했다. 여기에 대해부가의 조상님들을 옮길 것이다. 자신도 죽으면 이곳에 묻힐 것이다. 묏자리를 보고자 했다. 여구에게 맡겼다.

여기가 내가 묻힐 곳이다—

강을 끼고 큰 무덤을 만들 곳을 물색했다. 대해부가 살아생전에 마무리하기를 원했다. 나주벌에서는 여구가 추진한 데로 곡물들이 자라고 있었다. 기름을 만들기 위해, 군량미 공급을 위해 나주벌은 그 어디보다 좋은 곡창지대였다.

"이 땅이 어느 나라였는지 아느냐?"
"예?"
"이 땅에 진실로 큰 나라가 있었다. 환(桓). 한(韓)이다."

한(汗, 翰, 韓)은 족장, 임금, 으뜸을 나타내는 말이다. 옛 단군조선의 시대 밝달의 나라가 있었다. 한 임금, 큰 임금 단군께서는 세상을 주유하시며 인간이 가장 살기 좋은 땅을 찾았다고 한다. 대해부는 참으로 오랜 세월 그 뜻을 알고자 했다. 어디가 가장 살기 좋은 곳인가. 고도의 청동기 철기 문명을 시작한 옛 조선의 단군임금들께서는 어떤 땅을 가장 살기 좋은 곳이라 여기셨을까. 이제 겨우 세상을 마쳐야 할 때가 되어서야 알았다. 그것도 대선사와의 긴 논의를 통해서 겨우 알아냈다.

"너는 아느냐? 어떤 땅이 가장 살기 좋은 곳인지…"

"예?"

"그걸 알면 상을 주겠다. 아주 큰 상을… 옛 단군임금님들께서 찾아서 도읍 했던 그 이유가 무엇이었을까? 너는 알겠느냐?"

"다는 모르지만 조금씩 깨달아지는 것이 있사옵니다."

"오호. 그래? 그것이 무엇이더냐?"

"인간에게 필요한 것들입니다. 인간이 살아가는 데 가장 필요한 것들, 그것을 쉽게 구할 곳이 바로 도읍지들입니다."

본질을 깨닫고 있었다. 천부(天符)의 의미를 알고 있다. 사람은 삼(三)이다. 삶이 곧 사람이다. 사는 것. 그것의 요소가 자연에 있다. 그 자연에서 가장 필요한 것들을 골랐을 것이다. 사람에게 가장 필요한 것들. 온 대륙과 반도를 다 뒤져서 찾았을 것이다. 그래서 대륙의 조선 제후국들도… 삼한(三韓) 그 나라들도 세웠을 것이다. 그것들을 볼 줄 아는 눈이 있어야 했다.

"물입니다. 흙입니다. 나무입니다. 그리고 철이며 불입니다."

오행이다. 물 없이 무슨 생명이 있겠는가. 삶이 곧 사람인데 살아갈 수 없으면 그 땅은 쓸모가 없었다. 그래서 먼저 물이다.

그리고 흙이다. 곡물을 위해, 사람이 살아가기 위해 흙이 좋아야 했다. 그리고 또 나무를 보았다. 좋은 나무. 산천이 맑은 곳. 거기 철이 있어야 국가를 이루었다. 문명의 이기. 전쟁의 도구가 될 철 생산지에 가까워야 했다. 야철터는 고대 국가 번영의 가장 중요한 재원이었다. 곧 통화 화폐였으며 국력의 상징이었다. 가뭄과 홍수, 이 모든 것을 관장하는 본심본(本心本) 태양앙명(太陽昻明)이니 하늘의 불이다. 사계절이 그것이었다. 자연의 순환은 오행이다. 땅을 놓고 천지가 봄, 여름, 가을, 겨울로 순환한다. 단군 천자들께서는 그것을 보았다. 그래서 한(韓) 반도에 나라의 제천의식을 치르는 신단(神壇)을 여럿 꾸미셨다. 하늘과 기가 통하는 그곳들에서 제사를 지내 인간이 살기 가장 좋은 곳을 택해, 도읍 하였으리라고 여구는 대해부에게 말해줬다. 여구는 역시 알고 있었다. 어디에서 백성이 편히 살 수 있는가. 어떻게 해야 백성이 안심하고 풍족하게 살 수 있는가를 옛 조선의 단군 이야기에서 찾았던 것이다.

감천(甘泉). 어디서나 물을 떠서 먹을 수 있는 곳. 어디나 파면 마실 수 있는 좋은 물이 있는 곳. 계곡에서 들에서 산에서 그런 물이 흘러야 사람들이 살 수 있다. 물이 나쁘면 살 수 없다. 괴질과 병이 돌 수밖에 없다. 그러니 사방이 감로수요. 산천 곳곳이 감천(甘泉)인 한(韓) 반도는 곧 신선의 땅일 수밖에 없었다. 곡물을 품기에 더없이 좋은 땅. 백성이 언제 어디에서나 먹을 것을 찾을 수 있는 땅. 어미처럼 인간을 품어줄 땅이다. 산에는 온갖 약초들이 자랐다. 야철터가 있었다. 철광석이 산에 있었다. 사계절이 뚜렷했다. 하늘의 기(氣)가 뭉쳐 있는 곳. 그곳을 찾아서 옛 조선의 단군 천자들께서는 천제를 지냈다. 자연에 감읍 했다.그런 얘기들을 대해부는 대선사와 나누었었다.

"이제 다시 여기를 몇 번이나 오려나… 우리 연희, 야마다는 또 누가 돌보나…"
"어르신…"

여구는 안다. 한성백제 천기령 제4 용소에서부터 대해부는 많이 약해졌다. 여구는 대해부의 걱정이 무엇인지 안다.

"제가 작은 힘이나마 온 정성을 쏟아 모시겠습니다."
"그럴까 봐서 이리 얘기하는 것이다."
"…?"
"그럴까 봐서…"
"예?"

네 이놈. 갑자기 대해부가 눈을 크게 뜨고 큰 소리로 여구를 긴장시켰다. 그리고 본론으로 들어갔다. 대해부는 이렇게 한성 백제에서 열도로 돌아오는 길에 해야 할 일들이 많았다. 제일 중요한 것. 이제 여구에게 연희를 주는 일만 남았다. 뜸을 들였다.

"네가 연희를 가지지 않았느냐? 네가 연희의 마음을 가지지 않았느냐?"

"...?"

여구는 대해부의 말뜻에 난감했다. 네가 연희를 꼬였지. 비류왕과 왕비 하료 앞에서 직접 들었다. 야마다 비미호 여왕은 백제 태자 또는 왕자와 연을 맺어야 한다. 그런데 너 감히. 이런 얘기다.

"너는 새로운 대해부가 되어야 한다. 야마다의 아비가 되어야 하고 지아비가 되어야 한다. 백성을 지켜야 한다."

대해부는 여구의 꿈을 얘기해주고 있었다. 동명성왕 묘에서 비류왕의 천제를 보면서 여구, 당시 어린 은구가 꾸던 그 꿈. 만백성의 어버이요. 하늘의 아들인 그 꿈을 대해부도 심으려 하고 있었다.

"여구야! 연희는 작은 것을 잃어야 비로소 큰 것을 얻을 운명을 가지고 태어났다. 그래서 아비가 있어도 없는 것처럼 자랐다. 아비를 잃은 것이다. 이제 큰 것을 얻어야 한다. 연희의 그릇은 필부를 담을 수 없는 그릇이다. 아주 큰 나무다. 천 년의 제국을 세울 기재다. 그래서 아무나 가져서는 안 된다. 나무에 오르려 하면 떨어질 것이다. 오직 저 하늘의 태양처럼 그 뜻과 자질이 높아야 한다. 그래야 그 나무도 살고 태양도 빛날 것이다. 연희는 열도를 통일하는 대 왕국을 세우려 한다. 너는 열도를 넘어 내해(內海)를 선도(先導)하는 대군장이 되라, 왕 중의 왕이 되어라!"

대해부의 말은 여구에게 충격이었다. 대해부가 아니라면 누가 감히 이런 말을 할 수 있을까. 대륙백제와 한성백제, 그리고 열도 야마다를 포함한 내해(內海) 일원 그 전체를 이끌라 한다. 노예로 팔려와 마가(馬家)를 일으키고 차기 여왕을 호위하고 있는 여구에게, 열도를 평정하는 새로운 국가 건설과 반도를 넘어 대륙을 통일하는 거대 해상제국을 만들라 한다. 대해부는 그렇게 나주벌에서 여구가 감당하기 어려운 이야기를 하고 있었다. 유훈처럼.

運 움직이는
三 삼이
四 사를
成 이루고
環 둥글게 에워싸면
五 다섯과
七 일곱이니

一 하나가
妙 빼어나고 훌륭하게
衍 넓어지면

成 이루고

　　대륙백제에서 열도로 연희와 여강이 먼저 도착했다. 아비 설리로부터 대해부의 의도대로 그리하겠다는 답신을 받아온 연희는 열도에 도착하자마자 여구가 한성백제로 갔다는 사실을 알고 실망했다.

"뭐가 그리 급해?"
"잘하면 네게 오라비가 생길지도 모르겠다."
"오라버니?"
"그래. 그 일이 중요하셔서 가셨다."

"말도 안 돼요. 어머니께서 나보다 먼저 나은… 그런 소리는 못 들었는데…"

"내가 아니고…"

연희는 할아버지의 큰딸, 선화 여왕의 초상을 떠올렸다. 연희는 어미인 인화 여왕만이 갖고 있던 그 초상이 처음에는 자신의 어미인 줄 알았다. 그러나 아니라 했다. 그분과 비류왕과의 사랑 이야기를 들었었다. 여왕의 자리를 버려서라도 얻고 싶었던 사랑. 그 사랑이 결국 실종되었고 사랑하던 남자는 백제왕이 되었다. 이런 기구한 이야기가 있을 수 있는가. 잠시 상념에 빠져 있다가 아차 싶다.

"그 목걸이…"

"그것 때문에 가셨다. 백제에…"

"아니, 내 목걸이 말이야. 내게 주어야 했다는 그 목걸이"

"그래, 그 목걸이…"

"에이, 그 초상화. 선화 여왕께서 갖고 있던 그 초상화의 목걸이…"

"그래, 그 목걸이…"

같은 목걸이를 달리 말하고 있었다. 연희는 대륙백제에서 본 여강의 목걸이를 말하고, 인화는 대해부가 한성백제로 간 까닭을 얘기하고 있었다. 목걸이는 야마다의 최대 사건이 되고 있었다.

"이것이 정말 네 것이냐?"
"제 어미의 것입니다. 태어나면서부터 계속 차고 있었습니다."
"그럼 너희 쌍둥이는…"

인화는 더 말을 하지 못했다. 여강은 자신이 쌍둥이라고 알고 있었다. 여강과 여구 둘 다 그랬다. 고하 소도에서도 단복과 초로만이 그 일을 확실히 알고 있을 뿐 다른 사람들은 현고와 우아가 시간차이를 두고 아이를 낳았다고 그렇게 이해했다. 그 누구도 여강과 여구가 형제가 아니라고 의심하거나 달리 생각한 사람은 없었다. 둘은 누가 뭐래도 형제였다. 시간차이를 둔 쌍둥이라고 했다. 이란성. 서로 얼굴과 체형이 조금은 다른 쌍둥이. 면밀하게 생각하지 않았으니 또한 의심도 하지 않게 되었다. 고하 소도 사람들은. 그래서 그렇게 알고 있었다. 그런데 그것을 대해부만이 의심하고 있었다. 여강과 여구는 다 달랐다. 대해부는 본질을 꿰뚫고 마가(馬家)의 고하 소도 사람들 인식(認識)의 허(虛)를 찔렀다. 단복과 초로. 두 사람은 알고 있다. 고하 소도에 있는 저 두 옛 단군조선의 유민(遺民), 약선(藥仙)

과 기선(技仙)인 두 사람이 마가(馬家)에 있는 이유도 여구에 있음을 간파했다. 그 이유. 대군장이다. 대해부는 알 수 있었다. 그래서 여구에게 모든 것을 건 것이다. 단복도 초로도 모든 것을 이미 걸어온 것이다.

새롭다-

연희도 여강도 다 새로운 변화였다. 사촌 남매. 연희와 여강이 달라졌다. 어느 날 노예에서 호위장으로 그리고 수하에서 오라비로 그렇게 신분이 변하니 사람도 달라져 보인다.

초상화-

여강은 그림을 보았다. 그런데 이상한 점이 있었다. 자신의 어미 우아와 달랐다. 이렇게 생기지 않았다. 초상화 속의 여인은 여강의 어미가 아니었다. 잠시 혼돈이 왔다. 그럼 쌍둥이는? 자꾸 미궁 속으로 빠져 들어가고 있었다.

여강이다-

흑천 서위는 한성백제로부터 목걸이 내용과 그림을 통해 알

게 되었다. 찾는 자다. 비류왕, 왕비 하료, 흑천의 주인인 우복
과 그의 미래인 설거 왕자가 찾는 목걸이의 임자가 바로 여강
이었다. 자신이 후계자로 키우고 있었고 아들 같은 여강… 반드
시 죽여야 하는 자가 되었다.

그 아이가—

차라리 몰랐으면 했다. 여강을 죽여야만 한다. 도무지 어찌할
수 없었다. 사람이란 참 묘하다. 인간은 자신과 정(情)을 나누
면 달라진다. 모든 것이. 그것이 인간끼리의 관계만이 아니다.
키우는 동물, 식물, 오래 쓴 물건도 정이 들면 달라진다. 그런
것이 사람이다. 하물며… 그렇게 서위는 여강에게 정을 주었다.
사제의 정(情), 아비의 정(情)을 주었다. 그러나 자신은 흑천의
사람이다.

"틀림없습니다. 여강 호위장입니다."

이제 수하들도 알아 버렸다. 인화 여왕도 알고 비밀로 하기로
했다고 한다. 인화 여왕과 연희는 백제의 최고 감시 대상이었
다. 야마다의 궁녀들은 백제 무사들을 몰래 만나곤 했다. 비미
호 여왕이 거하는 곳의 궁녀 중 일부도 예외가 없었다. 그들은

기회만 되면… 실상은 백제 무사가 은밀히 만든 그 기회에 쉽게 빠져들었다. 그렇게 너무도 쉽게 여강과 목걸이의 존재가 백제 무사들에게 알려졌다. 마아가 곧 망아이며 천기령 인근에서 태어났고 그 목걸이의 주인이라 했다. 암살을 명해야 했다. 흑천 서위는 수하들에게 즉시 암살을 명령해야 했으나 그러지 못했다. 더 확인할 것이 있다고만 했다. 흑천 서위가 우겼다. 아직 갈등하고 있었던 것이다.

"잘 다녀왔느냐?"

"예…"

"잘 됐느냐?"

"예… 무척 잘 된 것 같습니다. 매우 좋은 기분이셨습니다."

"그래. 그래서인지 네 기분도 좋아 보이는구나!"

그랬다. 흑천 서위는 여강이 연희를 사모하고 있음을 알고 있었다. 그래서 더욱 정이 갔다. 흑천 서위는 아주 오래전부터 한 여인을 진심으로 사랑했다. 자기 자식을 볼모로 두고 흑천에 들어온 여인. 꿈을 꾸면서 미래를 보는 여인. 밤이면 딸이 보고 싶어 울고 또 울던 그 여인. 지독한 집념으로 흑천의 후계자에서 주인이 된 여인. 그리움으로 무리하게 흑천신공(黑天神功)을 얻고자 했던 여인. 그래서 그 어여쁜 얼굴과 생기마저 희생한 여인. 딸 때문에, 사랑하는 사람 때문에 그렇게 자신을 망가뜨린 여인. 그렇게 만든 하늘의 뜻을 거스르고자 했던 그 나이 많은 여인을 흑천 서위는 진심으로 어미처럼 따르고 사랑했었다. 그렇게 평생 호위하기로 했었다. 그런데 그 운명처럼 여강도 그랬다. 연희를 사랑하면서 조금도 다가갈 수가 없었다. 여강을 보며 흑천 서위는 자신이 그러했던 것처럼 그 마음의 아픔을 이해하고 있었다. 주인의 안색에 따라 기분이 오르내리는 사람들. 여강과 흑천 서위다.

"항상 조심해라. 조용할 때가 위험할 때이니라!"

그렇게 말해줄 수밖에 없었다. 스승은 그렇게 제자에게 당부했다. 조심하라. 그리고 스승은 제자를 죽이기 위해 명(命)을 기다리고 있는 수하들을 만나러 갔다. 대해부가 오고 여강이 선화의 아들로 공표되면 죽이기가 더 어려워진다. 그런 것이 수하들을 급하게 했다. 흑천 서위는 여구가 있다며, 여구와 여강, 이들의 관계와 진짜 목걸이의 주인이 누구인지 확인해야 한다고 시간을 끌었다. 수하들은 할 수 없이 기다리기로 했다.

이상하다─

여인은 매우 이상했다. 아주 곱상한 얼굴에 귀품(貴品). 귀한 사람의 기운이 흘렀다. 그런 여인. 앳된 백제 여인이 지금 열도 야마다 포구, 박다항(博多港) 거리를 너무도 재미있게 지나간다. 행수라 했다. 백제 왕비가의 상단 행수. 그 행수를 호위하는 무사 넷, 깊게 삿갓을 쓴 그들은 얼굴을 드러내지 않는다. 다만 허리에 찬 칼이 군장들의 칼이다. 무절 수장급이다. 허리띠에 달린 백제 청동 호패에 황옥(黃玉)이 박힌 귀족 패다. 그들이 야마다를 살피고 있었다. 여인이 뒤에 있던 호위 수장에게 말했다.

"대단한 기운입니다. 저 사람…"

여구다. 여구가 야마다 포구에 도착했다. 대해부가 가마에 오르자 여구는 주위를 살피고 길을 재촉했다. 그 모습을 보고 여인은 손가락으로 가리키며 말하는 것이다. 놀람이 컸기 때문이다. 그가 여인의 옆으로 오고 있었다. 잠시 스쳤다. 눈길이 스쳐 지나갔다. 그 여인과 여구. 그렇게 스쳐 지나가고 있었다.

여구의 눈에도 그 여인이 들어왔다. 백제인. 그것도 귀족 백제인이 야마다 포구, 박다항(博多港)에서 걷고 있었다. 매우 귀한 여인이었다. 이목구비가 뚜렷한. 그 생각을 하며 지나쳤다.

스치듯.

살짝—

얼굴을 드러냈다. 설귀였다. 이상한 여인의 뒤에서 여구를 바라본 자는 바로 한성백제 제일의 무사 설귀였다. 그 설귀가 열도에 도착한 것이다.

"둘입니다. 그리고 하나는 죽고 또 하나는… 그도 천길 벼랑으로 떨어집니다. 죽… 죽…"

안개였다. 하나는 분명히 칼을 맞고 또 하나는 벼랑으로 떨어졌는데 안개다. 물이 가득해지고 진하연(辰夏然)은 가슴이 답답해졌다. 진하연. 여름이다. 물과 불이 극성 하는 여름처럼 진탄의 막내딸. 태왕후 하미의 이복동생 진하연이었다. 태왕후와는 무려 스무살 넘게 차이가 나는 왕비족의 기대주다. 진탄이 사십이 넘어서 얻은 딸이었다. 왕비족 중에서도 가장 뛰어난 예지력을 가지고 있었다. 어렸을 적부터 백제 대천관 신녀가 주목했다. 그녀 또한 왕재가 너무 강했다. 신녀가 되기에는 왕재(王才)가 너무 강해서 왕비족 수장 진루는 새로운 왕비로 세울까 고민하고 있었다.

"백제와 열도의 안정을 위해서다. 그자를 없애지 않으면 백제와 열도는 전쟁을 일으켜야 할지도 모른다."

왕비 하료의 뜻은 분명하다. 비류왕의 여인 선화의 아들. 살아 있으면… 한성백제의 태자나 왕자, 그리고 왕비인 하료와 왕비족 진씨가도 모두 열도의 적이 된다. 진하연은 말을 잘 알아들었다. 총명했다. 그래서 왕비의 부탁으로 열도에 온 것이다. 반드시 그 마아, 여강이라는 이 사단의 주인공에 대해서 파악해 달라는 것이다. 그리고 왕비 하료는 설귀에게 은밀히 따로 명령을 내렸다. 죽여라. 하연이 얘기하는 그곳을 노려라. 진하연은 집중하면 그 사람의 죽는 순간을 본다고 했다. 그것이 어렸을 때부터 너무 강해 왕비가에서는 쉬쉬하고 있었다. 그러나 진하연은 때때로 왕비가의 안녕을 위해 재주를 발휘하곤 했다.

그런데 이상했다—

진하연이 꿈에 본 것은 두 명이었다. 하나는 양(羊)이었고 또 하나는 사슴이었다. 양은 목에 금줄을 매고 인사를 했다. 또 하나… 사슴은 거꾸로 섰다. 자빠졌다. 그리곤 물이다. 안개다. 그런데 갑자기 그 사슴에게 큰 뿔이 생겼다. 그 큰 뿔로 자신의 가슴을 받아 버린 것이다. 그리고 사슴을 타고 바다같이 큰 물속을 들어가고 하늘을 날았다. 이게 무슨 조화인가. 하나는 금줄을 매고 인사를 했다. 간다. 그런데 하나는? 그래서 진하연은 그 꿈을 왕비 하료에게도 설귀 일행에게도 말하지 않았다. 하지만 인연이 자신에게 닿을 것임을 알고 흔쾌히 열도 남행을 결심했다.

아니면 없애려 했다―

너무 큰 충격이었다. 대해부의 말은 인화와 연희에게는 더 할 수 없는 충격이었다. 여구. 그를 대해부는 없애려 했었다고 했다. 그렇게 분명히 말했다. 못 얻으면 없애야 할 사람이다. 여구는. 그러나 이번 한성백제 행에서 그럴 필요가 없어졌다고 했다. 생각이 바뀌었다고 했다. 그는 그릇이 다르다. 바다다. 이제 우리가 모험한다. 인화는 목걸이의 주인공을 찾았다고 했다. 그러자 대해부는 이미 알고 있었다는 듯 입단속을 명했다.

"당분간 아무도… 누구에게도 내색하지 마라."

대해부는 단복을 만나고자 했다. 담담했다. 알고 있었다. 확신했다. 그러나 확인할 것이 있었다.

"맞느냐?"

난처했다. 단복은 그런 대해부의 질문이 나올 줄은 몰랐다. 여구와 여강이 형제가 아니다. 아니냐? 그렇게 물어왔다.

"물론 여강도 뛰어나다. 능히 한 시대의 장수가 될 만하다. 그러나 목숨을 걸기엔…"

아니다. 그러지 않느냐? 절대무왕의 재목은 아니다. 이런 말도 있었다. 그렇다면 너희도 이리 목숨을 같이 걸겠느냐? 단복은 난처했다. 이렇게 속을 다 알고 물어오는 질문에 대답해야 했다. 그런 난처한 단복의 심정을 대해부는 이미 보고 있었다. 목숨을 걸고 지켜야 하는 것을 내 이미 알고 있다. 이제 말하라. 이미 주머니 속에 송곳이라 더는 감출 수 없을 것이다.

"어찌하시렵니까…?"

어찌해야 하나. 이런 생각이 단복의 질문이 되었다. 이제 대해부는 다 들었다. 단복에게서 들어야 할 말은 다 들은 셈이다. 여구다. 자신의 손자. 노안에 갑자기 눈물이 왈칵 쏟아졌다. 그래 그렇게 가까이 있었다. 그렇게 죽은 선화는 아비와 동생에게 자신의 귀하고 귀한 아들을 맡긴 것이었다. 그 재주 같고 닦으라고 무예서고도 열게 해주었고 연희도 따르게 했다. 선화가 그리 한 것이다. 그치지 않은 생각처럼 눈물이 쉼 없이 흘렀다. 대해부는 부쩍 약해졌다. 많이 울었다. 천기령에도, 한성백제 고마성 여호기와 하료를 만난 뒤에도, 그리고 나주벌에서도 그렇게 울었다. 귀한 내 딸이 내 주위에 있었다. 아들을 지키고자 하는 어미의 한(恨)이 되어 하늘을 움직이고 땅을 움직이며 사람들을 움직여 자신에게 오게 했다. 이제야 널 알아보다니… 대해부는 그렇게 한참을 울었다. 단복은 그런 대해부의 눈물을 보면서 참으로 난처했다. 그리고 알았다. 대해부는 여구를 절대 신뢰한다. 대해부는 여구와 그 죽은 여인, 천기령 제4 용소로 와서 하늘의 제물이 되고 자신의 아이를 맡긴 그 여인과 필시 관계가 있다. 대해부의 눈물이 그것을 말하고 있었다.

한참 후—

대해부가 깊은 숨을 마시며 스스로 진정했다.

여구를 지키듯—

목숨을 걸고 지금부터 내가 하는 말을 지켜라. 대해부는 그렇게 얘기를 시작했다. 책계왕이 태사자로 여호기를 열도에 보냈을 때, 당시 여왕 신녀는 선화라는 자신의 큰딸이었다. 선화를 여호기에게 주었었다. 그리고 그 선화를 대신해 인화가 후에 백제 책계왕의 태왕손 여설리를 맞이했다. 백제와의 조약. 그 위태로운 거래는 임신한 선화가 사라지고 여호기가 비류왕이 되면서 어색한 관계가 되어 버렸다.

"그런데 그 선화, 내 큰딸이 실종된 곳이 바로 천기령이다."

아, 그제야 단복과 초로는 깜짝 놀랐다. 그 인연. 그날… 대해부는 그 여인의 아비다. 그때 낳은 아이가 바로 대해부의 손자였다. 여구다. 이제 단복은 알 것 같았다. 대해부가 어린 시절 이름들을 물어본 적이 있었다. 망아(忘我)와 은구(恩舊). 그날 대해부는 여강(餘强), 여구(餘句)의 한자 이름을 바닥에 계속 적고 있었다. 그때 이미 대해부는 여구와 여강을 비교하고 있었던 것이다. 쌍둥이도 의심하고 있었다.

"천기령에서 나는 내 딸을 느꼈다. 너희가 곱게 묻어둔 그 자리에 한없이 감사했다. 너희와 바로 내 옆에 있던 내 외손자에게 고마워했다."

진심으로 대해부는 단복과 초로에게 고마웠다. 그 딸, 죽음으로 지키고자 했던 내 딸의 아들을 꺼내주었다. 그리고 짐승의 먹이가 되지 않도록 여구를 길러오고 목숨을 걸고 지키려 했다. 자신에게도 속이면서까지… 마가(馬家) 고하 소도 전체를 죽음으로 몰 수 있는 도박을 하고 있었다. 자신의 핏줄을 위해서였다. 그래서 더없이 고마웠다. 천하제일 명당을 골라 칠성단을 쌓아줘서도 고마웠다. 선인이 아니면 누가 거기를 찾겠는가. 순결한 자신의 딸을 고이고이 담아 주었다. 그 순전한 영혼이, 피가 흘렀듯 열수를 따라 내해(內海)로 흐르고 내해를 지나 야마다에 왔을 것이다. 자신의 주위에 맴돌며 자신을 위로했을 것이다. 그래서 더욱 단복과 초로가 고마웠다.

또 만났다―

그 청년. 범상치 않은 청년을 진하연은 또 만났다. 두 사람이 더 있었다. 귀티가 물씬 풍기는 여인. 공주 연희였다. 비록 복장은 평민이었지만 아니다. 귀한 사람이다. 특히, 여구는 지난번 복장이 아니었다. 평민 복장. 옆에 있던 무사 또한 범상치 않아 보였다.

누구지–

연희의 눈이 하연을 발견하고 의아해진다. 여기 야마다에 이런 귀한 사람, 여인은 없다. 그런데 야마다 신궁이 보이는 객점의 한 곳에 홀로 있었다. 누군가를 기다리는 것 같았다. 여인을 보는 순간 연희는 알았다. 자신과 운명처럼 엮어진 또 하나의 여인을 본 것이다. 인재는 인재를 알아본다고 했는가. 일면식도 없는 두 사람은 가볍게 눈인사를 했다. 연희는 오랜만에 회포를 풀고자 했다. 한잔하자. 궁이 아닌 곳에서… 오늘은 내가 평민들이 보고 싶다. 평민들이 먹는 술을 먹고 싶다. 내가 나가서 너희에게 오라버니 해줄 테니… 그리하자. 그렇게 꼬여서 궁을 나왔다. 누군가를 기다리는 여인을 멀리 바라보면서 여강이 물었다.

"누구입니까?"

연희가 아는 사람인가 했다. 한성백제에서 온 듯하다. 여인을 보고 연희가 눈인사하는 것 같았다. 그래서 물었다.

"몰라! 그런데 알 것 같아. 곧 만날 것 같아서…"

직감이었다. 곧 만날 것 같아서 저절로 인사를 했다. 여구는 피식 웃었다. 그 직감. 여구는 이상한 여인이라 생각했다. 지난 번에는 네 명의 무사들과 함께 있었다. 범상치 않은 무사들이었다. 백제 최고의 무절 무사들. 그런데 지금은 하나도 안보였다. 이상했다. 그러나 그러고도 태연한 그녀. 연희를 보는 느낌이다. 귀족 중의 귀족이 분명했다. 그 보통이 아닌 호위 무사들이 그리 대했었다.

"오라버니들… 뭐 드시겠습니까?"

여구와 여강이 당황했다. 연희가 한 눈을 찡긋 감았다. 객주의 술 어미가 왔다. 즐거운 한때에 연희는 여구에게 미소를 보내고 그런 연희를 멀리서 보며 진하연은 아주 작은 미소를 머금는다.

運 움직이는
三 삼이
四 사를
成 이루고
環 둥글게 에워싸면
五 다섯과
七 일곱이니

一 하나가
妙 빼어나고 훌륭하게
衍 넓어지면

環 둥글게 에워싸면

비류왕 여호기는 대해부가 다녀간 이후, 왕비 하료와 크게 불편해졌다. 큰아들 걸걸의 태자 즉위와 열도 남행으로 잠시 소강상태였던 두 사람 사이의 간격이 선화의 목걸이가 등장하자 매우 불편해졌다. 그런데 대해부까지 왔다. 대해부는 왕비 하료와 자신에게 열도와 백제, 그리고 태자 걸걸과의 거래까지 다 문제시했다. 자신을 책망하는 것 같았다. 그 대해부의 옆에 호감이 가는 청년이 있었다. 그런데 왕비 하료와 대해부와의 신경전에 휘말려서 자세히 보지 못했다. 너무 긴장했었다. 선한 얼굴이 보기 좋은 청년이었는데… 그런 생각을 하다가 비류왕 여호기는 왕비 하료를 떠올렸다. 왕자 여설거를 불렀다.

"왕비는? 별다른 움직임이 없느냐?"

"예. 아직 그렇습니다. 다만 왕비족 진씨가에서 진탄 좌평의 막내 따님이 열도 유람을 떠나셨다 했습니다."

"진하연이? 태왕후의 막내 여동생 말이냐?"

"예."

"그래…? 누구의 명이냐? 진탄이 보냈는지, 아니면 누가 보냈는지 알아보거라!"

"예."

왕자 여설거는 의아해졌다. 비류왕이 그녀의 열도 남행에 대해 중요시한다. 이를 왕비 하료에게 말해야 하나 싶었다. 그런데 비류왕이 이를 긴장하며 받아들이자 따로 사람을 보내기로 했다. 살피자. 지켜보자. 암중모색(暗中摸索)이라 하지 않더냐. 기다리면서 최후의 승자가 되어야 한다.

기다린다—

죽음을 기다리는 순간은 죽이는 자에게도 초조한 시간이다. 왕비 하료는 열도에서 소식이 오기만을 기다리고 있었다. 왕자 설거와 흑천 서위만을 믿고 있기엔 아무래도 불안했다. 진하연의 열도 남행에는 많은 비밀이 있었다. 진하연이 열도로 가기에 왕비가의 호위가 따라붙을 수 있었다. 훈련원 태감으로 한직에 머물던 설귀 또한 직을 버리고 갈 수 있었다. 이제 설귀가 마아를 잡으면 될 일이었다. 그런데 신경 쓰이는 것이 하나 더 생겼다. 지난번 대해부가 왔을 때, 궁에 출입을 시키려 한다는 대해부 상단의 젊은 행수가 계속 마음에 걸렸다.

"알아보거라!"

왕자 설거에게 그 여구란 사람도 살펴보라고 했다. 여호기 비류왕과 너무 닮아 있었다. 그럴 수 없다. 비류왕은 그것을 잘 눈치채지 못하고 있었지만, 대해부가 그 청년을 데리고 와서 애기한 것을 되새기고 되새길수록 도발이었다. 야마다를 다 바친다. 그런데 연희는 안 되겠다. 이 애기였다. 비류왕 여호기에게 책계왕과의 조약을 어기면서 딸을 준 대해부다. 연희는 야마다 전체를 의미한다. 야마다는 줄 수 있어도 연희는 안 된다. 이런 말이 되어버렸다. 너 비류왕 여호기 너에게도 그리 주었다. 그리고 너도 왕이 되었다. 그렇듯 연희도 그렇게 줄 것이다. 비천한 호위 무사지만 너 같이 될 것이다. 야마다 땅과 나라를 다 주어도 아깝지 않은 그런 자다. 그러니 백제 태자 걸걸이나 왕자 걸서에게는 못 준다. 대해부가 다녀간 뒤로 하료는 생각하고 또 생각하였다. 대해부가 데려온 그 청년. 그래서 알아보라고 했다.

비류왕은 아무도 몰래 천기령으로 행차했다. 호위들도 어디로 가는지를 몰랐다. 그리고 비류왕 여호기는 천기령 아래 칠용소에서 얼굴을 씻고 한참을 혼자 그 물가에 있다가 신궁(神宮)으로 향했다.

왕이 울었다―

대천관 신녀는 비류왕 여호기를 보았다. 눈이 부어 있었다. 한참을 운 흔적이 있었다. 그렇게 강한 남자. 백제 제일자가 눈이 붓도록 울고 왔다. 당장 달려가고 싶었다고 했다. 열도로 당장 달려가 만나고 싶다고 했다. 그런데 갈 수가 없다.

"이제 어찌해야 합니까? 그 아이를 어찌해야 합니까?"

무엇을 어찌해줘야 하는가. 대해부가 선화의 죽음을 가지고 왔다. 그리고 백제와의 긴장을 던지고 갔다. 왕비 하료는 야마다 열도에 대한 욕심을 숨기지 못했다. 비류왕 여호기는 그것이

불가능함을 알고 있다. 지금 백제는 대륙백제의 긴장을 가져와
서는 안 된다. 한성백제만으로는 불가능하다. 즉시 신라 아니
고구려가 열도에 힘을 더 강하게 뻗칠 기회만을 준다. 그런데
왕비 하료의 욕심이 드러나 대해부를 긴장하게 했다. 그것을 여
호기는 알았다. 자신을 꾸짖으러 왔고. 또 왕비 하료를 단속하
여 선화의 아들에게 해를 입히지 못하게 할 것을 무언으로 주
문하고 갔다. 마침 백제 대천관 신녀는 다음 후계를 정하고 싶
어 했다. 자꾸 기력이 쇠해지니 곧 대천관의 후계를 정해 수련
을 시켜야 했다. 그런저런 일을 상의하고자 했다.

"신궁을 이전하라고요?"

"예, 아니… 하나 더 만들어야 할 것입니다. 그리할 것입니
다."

"그거야… 그리하시지요. 그런데 어디에다가 하실 요량이십니
까?"

"우선은 신궁 내에… 하나를… 그리고 열도에…"

"예? 열도요?"

그 순간 비류왕 여호기는 얼굴이 굳어졌다. 하료의 뜻인가 했
다. 열도에 백제 신궁(神宮)을 짓는다는 것은 백제가 직할 통치
를 하겠다는 것이다. 비류왕은 순간 씁쓸해졌다. 신녀께서도.

백제가 열도를 직할한다면 그때 가서 신궁(神宮)을 논하자고
하려 했다. 그런데…

"신궁을 곧 만들 생각입니다. 그러기로 했습니다."

누구와? 역시 왕비 하료인가. 그때 비류왕에게 신녀가 해준
말은 의외였다. 소서노 모태후의 이야기가 따라 나왔다.

"언젠가 열도에 신궁이 세워질 것이라 했습니다. 그때가 되면
제게도 후계자가 나올 것이라 했습니다. 그래서 기다려 왔는데
그 아이가 찾아왔습니다. 아이가 어미를 찾아오듯 저를 신 어미
로 찾아왔었습니다. 이제 그때가 된 것입니다."

놀라웠다. 연희라 했다. 대해부의 손녀 연희 공주가 찾아왔었
다고 했다. 그 연희가 바로 백제 대천관 신녀의 후계라 했다.

연희는 여구와 여강을 데리고 백제 대천관 신녀를 만나러 왔
었다. 전날 꿈을 꾼 대천관 신녀는 이미 그들이 올 것을 알았
다. 그리고 소서노 모태후의 유훈이 시작되고 있음을 느꼈다.
하늘의 뜻이 어디 있는지 그 혼란이 무엇이었는지 알아내기 시
작했다. 전설이 이제 깨어나고 있었다.

연희의 연줄은 소서노 모태후다. 그래서 두 개의 사랑을 해야 했다. 먼저 작은 하나를 잃고, 나중에 큰 전부를 얻어야 했다. 소서노에게는 먼저 혼인했던 구태와의 사이에서 얻은 아들들, 바로 비류와 온조가 있었다. 그리고 구태가 죽고 나서야 비로소 소서노가 사랑한 고주몽을 만난 것이다. 소서노의 한(恨)은 고주몽과 완전한 사랑을 하지 못한 것이었다. 그 연줄은 제대로 된 사랑을 원했다. 윤회(輪回)다. 세상은 돌고 돈다. 세월을 지나 다시 그 연줄이 작용한다. 소서노 모태후의 연줄은 연희에게 두 사람을 보낼 것이다. 한순간 다 잃을 사랑과 이후 다시 변하지 않을 진정한 사랑. 소서노 모태후는 그것을 한(恨)으로 남겼다. 그 한(恨)을 연희가 풀어야 한다. 연희는 소서노 연줄로 여강과 여구 둘 사이에 있었던 것이다. 그것을 대천관 신녀는 세 사람이 신궁을 찾아왔을 때, 바로 알았다. 그리고 보았다. 그 삼백 년의 인연 줄들이 자신의 앞에 있었다. 그날 이후 대천관 신녀는 기도에 열중했다. 그 연줄이 더 상처를 만들지 않고 오직 아름답게만 맺히길 바라고 또 원했다. 그래야 대군장이 제대로 탄생한다고 생각했다.

줄탁동시(啐啄同時). 안과 밖에서 함께 해야 일이 이루어진다. 병아리가 안에서 껍질을 쪼는 것을 줄이라 하고, 어미 닭이

밖에서 쪼는 것을 탁이라 한다. 이것이 함께 이루어져야 한다. 그래야 알에서 깨어난다. 대천관 신녀는 그 일을 준비하겠노라 했다. 그리고 비류왕에게 일렀다. 곧 그때가 머지않으니 그것을 보기 위해서라도 마음을 단단히 먹으라 했다. 산이 높으면 골이 깊으니… 산이 먼저가 아니고 골이 먼저라 했다. 비류왕 여호기는 의미를 되새겼다. 그리고 물었다.

"아직 내가 잃을 것이 얼마나 더 있습니까?"

"…?"

비류왕은 기억하고 있었다. 얻으면 잃는 팔자. 왕이 되어 세상을 얻으니 자신의 모든 것을 다 잃었다. 이제 더 얼마나 무엇을 잃어야 하나. 그리고 무엇을 얻을까. 잃는 것이 있으니 얻는 것도 있을 터 그것이 무엇일까. 비류왕 여호기는 알고 싶었다. 대천관 신녀는 이것이 비류왕이 자신에게 확인받고 싶어 하는 것으로 생각했다. 왕비족 여인이 아닌 근자부의 아들과 딸로서 묻는 것이다.

"내가 네 누이다."

그때 그 말이 생생하게 떠올랐다. 대천관 신녀는 그렇게 비류왕 여호기가 묻고 있다고 생각했다. 절실한 그 생각이 자신의 마음에 닿았다.

"얻을 것입니다. 찾을 것입니다. 반드시 그리될 것입니다. 보실 겁니다. 그러나 그러려면…"

말끝을 흐렸다. 그제야 비류왕이 환히 웃었다. 그리고 말했다. 자신의 앞날을 마치 보기라도 하는 것처럼. 그렇게 말했다.

그러면 됐습니다. 다 버릴 것입니다─

다 잃어도 좋다. 그러면 다 줄 것이다. 더 잃을 것도 없다. 다 버려 버릴 것이다. 그러면 내가 얻고자 하는 것. 얻자마자 내 생명을 버려서라도 그것을 지킬 것이다. 비류왕은 그렇게 마음먹었다. 그리 마음먹고 가벼운 걸음으로 신궁을 나섰다. 그런 비류왕을 보며 대천관 신녀는 자신도 준비해야겠다고 생각했다.

또 만났다─

그녀다. 이번엔 마가(馬家)였다. 말을 살피는 사람들과 그들의 아이들과 그녀가 놀고 있었다. 말을 무척 좋아하는 것 같았

다. 그리고 그녀는 아이들과 함께 다가왔다. 여구에게로. 여구
는 그녀를 보고 긴장했다. 그녀, 전혀 다른 백제인이다. 여구가
지금 하는 것은 곧 열도와 백제가 갈등할 수도 있는 일이었다.
모르게 하고 있던 각종 연구가 들킬 수도 있었다.

"야, 이거 참 곱네. 명주비단. 어? 두 겹이야. 서로 다른 굵기
의 실로 두 겹이네."

걸려 있는 비단을 보고 그 품질을 알아냈다. 그녀는 백제 귀
족이다. 허리춤에 찬 신분 패를 보면 왕비족 여인이다. 한성백
제 왕비족 진씨가의 여인이 열도 야마다에서 마가(馬家)를 찾
아온 것이다. 그리고 보았다. 양잠. 그 비단을 보고야 말았다.

"저는 진하연이라고 해요."
"예. 저는 여구라 합니다."
"어? 눈매가 좋으시네요."

서로 그렇게 수를 읽었다. 다행이었다. 이 여인. 순수한 여인
이다. 진하연. 예상이 맞았다. 한성백제 진씨가. 왕비족이다. 그
것을 눈치챈 자신을 여인도 알아봤다. 어차피 여구는 한성백제
궁을 다녀야 했다. 그렇게 하기로 하고 대해부가 이미 비류왕과

왕비 하료에게 자신을 소개해놓았다. 그것을 활용해서 이 여인의 의심을 풀어야 했다. 그러나 그럴 필요가 없었다. 눈매가 좋다. 여구는 벌써 진하연의 신분을 알고 말을 높였다. 그것을 진하연이 알아봤다. 대단한 눈썰미다. 진하연의 신분을 한 눈에 알아본 여구를 알아보고 칭찬을 했다. 그렇게 진하연과 여구는 서로 알아보았다.

"이런 명주 비단을 만들려면… 한성백제 이남에서 해풍을 맞은 오디나무 잎이 있어야 하는데… 아, 나주벌에서 구할 수 있었겠구나…"

훤히 알고 있었다. 뽕나무. 나주벌 금성에서 한참 더 북쪽으로 올라가야 했다. 거기 오디나무를 가져다 심었다. 그 잎으로 누에를 쳤다. 그것을 한눈에 알아본다. 역시 왕비가 여인다웠다. 그러나 그녀의 뒷말이 여구를 당황하게 했다.

"근데 이 나무는 다른 곳에서 쉬 살지 못하는데… 열도에서 살까? 내년에도 꼭 보고 싶네. 이런 실을 만들려면 누에도 좋아야 하지만 뽕 잎이 좋아야 하는데… 땅이 다르고 기후도 다른데…"

그랬다. 내년이 안 가서 그 나무로 누에치기하기 쉽지 않다. 땅도 다르고 기후도 다른데. 이것을 하겠느냐? 안 된다. 벌써 알아보고 있었다. 이 여인 눈도 밝고 마음도 맑다. 순수하게 가르치고 싶어 한다. 기술자에 대한 열정으로 일을 보고 있었다.

너무 신기한 일이다―

한성백제에서도 귀한 왕비족의 비기(秘技)가 양잠이다. 그 기술로 명주비단을 만들었다. 이중 명주는 최상품이었다. 틀도 따로 있어야 했다. 그런 것을 다 고안 해내다니. 그 명주비단은 한성백제의 그것과 달랐다. 틀과 바늘 기타 도구들이 다르다는 것이다. 결이 달랐다. 결만으로도 이미 진하연은 이 명주비단이 한성백제의 것도 아니고 한성백제의 기술로 만든 것도 아니라는 것을 간파하고 있었다. 신기해했다. 그 느낌이 여구에게도 전해져 왔다.

"하오나 언젠가는…"
"하겠지. 해야지. 그래야 서로 발전하지. 이 정도만 되어도 열도에서는 잘 팔릴 거야. 명주비단을 입는 사람들이 한 사람, 한 사람 늘어나면… 결국 많은 사람이 명주옷을 더 좋아하게 되고 그러면 질 좋은 한성백제 명주 비단이 더 비싼 값을 받고 많이 팔리겠지. 그렇게 되지 않겠어요?"

"한성백제는 지금 명주 비단을 짜는 양잠기술을 통제하고 있습니다."

"그러니까 바보지. 더 많이 생산해서 대륙을 다 입히고 열도도 입히고… 세상 사람들을 명주비단으로 덮으면 자기네들이 더 좋을 텐데…"

바보. 자기네들. 그렇게 한성백제 왕비족을 비판할 수 있는 사람. 상(商)의 본질을 꿰뚫어 본다. 이 여인. 진하연에 대해 여구는 깊은 호기심이 일었다. 그때 연희 공주가 마가(馬家) 여구를 찾아왔다가 진하연과 이야기를 나누는 여구를 보았다. 여구의 호기심이 일어난 모습. 그 모습은 진지하다. 그런 진하연과 여구. 연희의 심기가 조금 상한다.

"누구냐?"

공주의 위엄이다. 얼른 여구가 고개를 숙였다. 연희다. 진하연은 공주를 보고 정중하게 눈인사를 했다. 가볍게 눈웃음으로 인사를 했는데도 정중했다. 그것은 왕비족 여인의 품위였다. 언젠가 왕비가 되기 위해 훈련받은 기품이 내비쳤다. 그렇게 운명의 3인이 만났다.

"한성백제에서 온 진탄 좌평의 막내 여식 진하연이라 합니다."

백제 태왕후의 막냇동생 진하연. 현재 왕비 하료에게도 사촌 동생이 된다. 열도에서 함부로 할 수 있는 사람이 아니었다. 기품 자체도 빛이 났다. 벌써 만났었다. 눈이 마주치고 스쳤다. 셋은 그것을 알고 있었다. 객점에서 서로 눈인사도 했다.

"이곳에 백제에서 온 마을이 있다고 해서 들렀습니다. 참 좋은 곳입니다. 말도 아주 튼실합니다. 아이들이 밝아서 이곳 주인의 마음이 얼마나 따뜻한 분인지 알 것 같습니다. 정말 공주님께서는 아름다우십니다. 마음도 그래 보이십니다."

솔직하면서도 절대 품위를 떨어뜨리지 않는 칭찬이었다. 그렇게 진하연은 연회를 인정했다. 마음이 아름다운 사람. 연회에게 자신을 받아 달라고 요청하고 있었다. 연회는 이미 여구를 품은 이상 변할 여구가 아니기에 그러기로 했다. 반가워했다.

"과찬이십니다. 그러나 말씀하신 대로 여기 사람들은 참 바릅니다. 귀한 사람들입니다. 좋게 봐주셔서 감사합니다."

연희는 기분이 좋아졌다. 좋은 말동무를 얻었다. 여구처럼 기분이 좋아지는 여인이다. 나이도 엇비슷해 보였다. 연희와 한 살 차이였다. 여구도 연희도 다 기분이 좋아졌다. 진하연 때문에.

깊다—

인연이 깊을 성 싶었다. 연희와 여구, 진하연까지. 모두에게 좋은 사람 냄새가 났다. 같이 있으면 향기에 덩달아 취하는 그런 느낌을 서로에게서 느끼고 있었다.

그 사연들—

대해부는 신중하게 여구를 맞을 준비를 단복과 초로에게 부탁했다. 여구가 충격을 덜 받으면서 이 모든 사연을 받아들이게 하고 싶었다. 그러는 동시에 왕비 하료가 반드시 여구를 죽이려 할 것이라는 직감을 가지고 이에 대비하게 해야 했다. 대해부는 그런 준비를 하면서 한 가지 사실을 더 알았다. 단복과 초로가 대선사 근자부를 알고 있었다는 것이다. 근자부가 바로 여구의 이름을 지어준 사실도 알았다. 근자부가 왜 선화를 몰라봤을까.

한번 보았는데… 그때 왜 못 알아봤을까. 그것도 하늘의 뜻이라 생각했다. 잠시 대선사의 눈을 흐리게 했겠지. 그렇게 이해했다. 그리고 옛 단군조선의 선인. 은자(隱者)들의 도움을 받기로 했다. 여구를 지키는데 약선(藥仙)과 기선(技仙)이 아닌 무인(武人)들이 필요했다. 초절정의 고수들. 망자의 섬으로 사람을 보냈다. 그 입구에 표시하라 했다. 대해부가 요청합니다. 그렇게

연통을 넣었다–

흑천 서위는 다른 사람들이 열도에 온 것을 듣고 있었다. 백제 최고의 싸울아비들이 온 것이다. 그가 누군지는 모른다. 하지만 그 신위(身位)들이 대단했다. 군장 이상이다. 적어도 백제 100대 고수 안에 든 4명의 호위가 신분을 감추고 열도에 왔다. 실상은 최고위와 10대 무사 안에 드는 싸울아비들이었다. 올 까닭이 없는 그 사람들이 한성백제에서 와 있었다. 흑천 서위는 왕비라 생각했다. 왕비가의 여인, 그 유명한 진하연이 같이 왔다. 그래서 처음엔 왕비 하료라고 생각했었다. 그런데 다를 수도 있었다. 설거 왕자 쪽에서 연통이 없었다. 그럼 아니다. 망아, 여강을 죽이러 온 것이 아니라면… 아니면 비류왕이다. 비류왕이라면 여강을 지키려고 온 것이다. 이와 부딪친다면? 암살

이 쉽지 않을 수도 있었다. 흑천 서위는 이것이 잘 된 것인지, 잘못된 것인지를 판단하지 못했다.

누구냐-

쨍- 여강이 막았다. 날아온 표창을 순식간에 몸을 돌려 칼로 막았다. 연이어 표창 두 개가 더 날아온 것도 막았다. 여강에게는 야마다 최고 수준의 무예가 있었다. 특히, 암기에 강한 흑천의 무예를 익혔다. 그 실력이 유감없이 발휘되었다. 암기 쓰는 법, 암기 막는 법에 모두 능했다. 네 명의 여자 호위 무사들과 연희를 호위하여 마가(馬家)를 나섰다가 자객들을 만난 것이다. 야마다 신궁으로 가는 길에서. 여자 호위 무사들은 연희를 감쌌다. 여강 혼자 셋을 상대로 싸우고 둘은 연희를 지킨 호위 무사들 넷이 함께 상대했다. 검은 복면을 한 암살대 다섯 명은 목적을 달성하지 못하고 도망쳤다.

그 목적은-

연희냐 여강이냐. 호위 무사들은 당연히 연희로 보았다. 여강은 그 무사들 셋을 상대했다. 여자 호위들은 두 명에게도 밀렸다. 느껴지길 여강을 해치려고 하기에는 너무 약했다. 자연스레 연희가 주목되고 있었다.

흑천 서위의 부하들은 당황했다. 여강의 무예가 생각보다 월등했다. 여강. 망아. 한성백제에서 없애라는 명령이 내린 목걸이의 주인이었다.

"미친놈들…"

흑천 서위의 분노가 대단했다. 감히 자신의 명령을 어겼다. 왕비족 진씨가에서 파견된 무사들과 흑천의 무사들이 변복하고 덮쳤으나 여강의 무예에 손끝 하나 건드리지 못하고 도망치듯 피해야 했다. 여강에게 오히려 당할 뻔했다. 왕자 설거의 성화도 대단했지만, 일단의 백제 무사들이 흑천 서위의 승낙도 없이 암살을 감행했다. 흑천 서위는 다시는 함부로 나서지 못하게 했다. 목숨을 거두리라고 했다. 그만큼 이 일은 중요한 일이라 했다. 열도와 백제가 등을 돌릴 수 있는 문제였다. 함부로 움직이면 죽인다. 그리 엄포를 놓았다.

오히려 다행이다—

흑천 서위는 부하들을 내 보내고 조용히 마음을 다스렸다. 다행이라고 생각하고 있는 자신의 또 다른 마음 때문에 피식 웃었다. 쓸쓸했다. 여강. 잘 배웠구나. 다행이다. 정말. 이제 방심하지 않겠지. 누군가 자신을 노린다고 생각할 테고… 연희 공주도 위험한 곳에 함부로 움직이지 않을 것이다. 오히려 안심했다. 흑천 서위는 그렇게 마음이 돌아서고 있었다.

運 움직이는
三 삼이
四 사를
成 이루고
環 둥글게 에워싸면
五 다섯과
七 일곱이니

一 하나가
妙 빼어나고 훌륭하게
衍 넓어지면

五 다섯과

두 가지 목적. 진하연은 열도에서 새로운 느낌이 들었다. 열도에서도 전운이 돈다. 이제 1백여 개 소국이 난립해 있던 열도가 달라질 시기라고 생각되었다. 만물은 흩어지면 뭉친다. 점차 뭉쳐질 때가 되었다고 생각했다. 이제 대 정복전쟁이 벌어질 것이다. 야마다는 그 중심이다. 백제도 어쩔 수 없이 개입하게 될 것이다. 진하연은 그런 야마다를 여구를 통해 느꼈다. 여구는 준비하고 있었다.

다르다–

목적이 달랐다. 오직 한 가지. 여강을 죽이는 것이다. 여구에 대해 알아보려 하는 것과 열도를 살피는 것은 진하연의 일이었다. 설귀는 여강을 죽이는 것에 전념했다. 방해되는 것은 다 죽여도 좋다고 왕비 하료의 특명을 받고 있었다. 최상의 대우를 약속했다. 더욱이 열도의 핵심인물도 아니고 단지 공주의 호위장이다. 그 정도 일에 나선다는 것이 백제 제일 무사임을 자신하던 자신의 위상과 맞지 않다고 생각했었으나 지금은 아니다. 여강의 무술 솜씨를 살피고는 긴장하지 않을 수 없었다. 자신 정도가 아니면 단 몇 합에 여강을 죽일 수 있는 사람은 없다고 생각했다. 그만큼 여강의 무예는 뛰어나 보였다. 더 놔두면 절대 고수가 될 재목이었다.

죽인다–

양동기적(洋動欺敵). 거짓 움직임. 적을 속인다. 적을 유혹하기 위해서는 온갖 방법을 쓴다. 양을 움직여 군사를 움직이게 하는 것처럼, 적이 예측할 수 없는 속임수로 승리를 이끌어내는 병법이다. 설귀는 이것이 필요했다. 거짓. 적을 속이는 것이다. 미끼가 필요했다. 연희였다. 연희 공주를 노려 여강을 죽이기로 했다.

약속―

중요한 것이 있었다. 여구에게 무엇보다도 중요한 것이 생겼
다. 배다. 이번 한성백제와 나주벌을 다녀오면서 새로운 것에
눈을 떴다. 내해(內海) 장악을 위해서는 배였다. 열도 야마다
대해부가는 해운에 일찍 눈을 떴다. 이제 대해부는 여구에게 큰
바람을 불어넣었다. 그 뜻을 펼치라 했다. 한성백제와 대륙백제
의 대방과 낙랑, 열도의 야마다를 넘어 더 큰 뜻을 품으라 했
다. 잦은 전쟁으로 고통받는 백성을 위해 새로운 나라를 열 수
있어야 했다. 그런 의미에서 가장 중요한 것은 해운. 군사를 움
직이는 새로운 함선의 개발이었다.

"특이한 나무가 있어요. 삼나무죠. 편백도 가벼워요. 그래서
야마다 배는 그 삼나무와 편백 등으로 배를 만들죠. 속이 깊
게…"

진하연은 배에 대해서도 조예가 깊었다. 배에 대해 얘기를 나
누는 동안. 둘은 기술자가 되고 발명가가 되었다. 그렇게 친해
져 버렸다. 여구는 생각한 것이 있었다. 열수에서 수도 없이 보
았던 상류에서 흘러오던 뗏목. 그 위에 물품을 한가득 싣고 상

류에서 하류 포구까지 흘러온다. 나무였다. 나무는 아무리 커도 물에 뜬다. 그런 의미에서 함선의 크기를 더 키우는 것이 중요했다. 그리고 육지로 바로 상륙할 방안을 세우는 것, 즉 내해에서 강으로 들어가 전투에 기마대를 직접 참여시킬 수 있는 상륙함이 필요했다. 그러하기에는 현재 야마다도 백제의 배도 모두 약했다. 또한 여구가 해전(海戰)을 위해 개발한 유화과(油火果) 화과탄(火果彈)을 투석기로 날릴 방안. 전혀 다른 신개념의 전투함선이 필요했다. 이를 위해 나무를 연구하고 있었는데 진하연이 그런 면에서 매우 조예가 깊었다. 게다가 연구에 몰입하고 새로운 것을 만드는 것에 대한 열정이 여구와 닮아 있었다. 둘은 서로 너무도 빨리 이해했다. 새로운 것, 새로운 무기와 전쟁에 대해 토론했다. 둘은 통했다. 아니 연회까지 합하여 셋은 너무도 잘 통했다. 이런 친구가 없었다. 서로 보안을 다짐하면서 배를 만들기로 했다.

"이 나무 보세요."

진하연이 구해온 나무였다. 엄청 가벼웠다. 무거운 갑옷 대신 하층 병사들이 가슴에 넣어서 목숨을 보호하던 나무판이다. 표면에 뭔가를 칠해서 수분이 침투하는 것을 막고 있었다. 쇠 갑옷으로 전군을 무장시킬 수는 없었다. 그래서 하층 병사들이 그

나무판을 철판을 대신해 썼다. 가벼워야 전쟁터에서 달릴 때 좋을 것이었다. 물기도 막았다. 물이 스미면 썩었을 것이다. 기술이 있었다. 이미. 새로운 배를 만드는 것에 한 발 더 다가갈 수 있었다.

진하연은 여구의 계획을 들어보고 정말 좋아했다. 그런 배에 대해 생각해본 적이 있다고 했다. 막연하던 것이 가능으로 바뀌었다. 진하연은 푹 빠졌다. 벌써 보름이 넘었다. 여구와 연희는 이미 배를 만들고 있었다. 진하연이 한성백제의 조선술을 많이 알고 있었다. 진하연도 여구처럼 한 번 본 것을 잊지 않는 특이한 기억력을 가졌다. 한성백제의 왕비족 서가에서 본 조선술의 비기(秘記)들이 큰 자산이었다. 그녀는 지금 열도에서 여구와 함께 새로운 배를 만들려 하고 있었다.

"정말 나도 만들고 싶었어요."

여구는 새로운 배를 설계하고 있었다. 일백 명의 기마대가 탈 수 있는 상륙선이었다. 기존의 최대 함선은 백여 명을 겨우 태울 수 있었다. 그것을 바꾸고 싶었다. 기마대는 세 배의 함선 능력이 필요하다. 말은 사람의 두 배 이상의 면적과 부력이 필요하다. 전혀 다른 개념의 배가 아니면 불가능할 일이었다. 기마대를 배에 싣고 바로 육지에 상륙시킨다. 이건 새로운 개념이었다.

무조건 만들어라−

여왕과 대해부는 특명을 내렸다. 어떻게든 지원해라. 배를 만들기 위해 야마다 기술자들과 단복이 머리를 맞댔다. 경비가 삼엄했다.

배의 중심에는 나주벌에서 가져온 무거운 소나무를 삼중으로 댔다. 중심이 섰다. 한가운데를 중심으로, 종으로 횡으로 바로 설 수 있었다. 용골이 될 것이었다. 중심부를 기대고 판판한 바닥을 소나무로 폈다. 그 바닥 위에 작은 짚 섬들을 넣고 아주 가벼운 삼나무와 편백으로 두껍게 본바닥으로 했다. 마치 뗏목처럼 기본 바닥을 넓게 했다. 밀봉해서 물이 새지 않게 했다. 여느 열도의 배보다도, 한성백제 배보다도 바닥을 더 두껍게 했다. 그리고 측면은 얇지만 강한 나주벌의 나무를 댔다. 그렇게 배 밑바닥을 만들자 위에서 보니 거대한 뗏목 같았다.

길이가 무려 100보였다. 이중으로 만든 바닥 높이만 장정 무릎높이만 해졌다. 넓이는 배 밑바닥이 20보였다. 부력으로 치면 말도 소도… 무거운 돌도 나를 수 있는 정도가 되었다. 커다랗고 널찍한 나무 상자를 하나 만들어 놓은 것 같았다. 바닥을 다 완성하니 거기에 거처만 지으면 될 것 같았다. 1층 칸은 사람 두 키보다 조금 작게 했다. 모든 기둥은 중앙 하부의 용골을 바탕으로 중심을 잡아 이루어졌다. 가운데 기둥들을 중심으로 말이 다니기 쉽게 했다. 2층 칸은 하나의 더 큰 나무 상자였다. 1층 칸 윗부분에서 선 밖으로 사람 2보 정도씩 더 넓어졌다. 넓어진 2층 칸 양측 면 끝단에 바로 바다 위로 구멍을 냈다. 노를 달아야 할 곳이다. 노는 다른 곳에서 만들고 있었다. 노의 축은 쇠로 만들었다. 노는 직각으로 물에 닿을 것이었다. 지금까지와는 다른 방식으로 노를 젓게 할 생각이었다. 2층 칸의 높이는 사람 키 두 배가 넘었다. 말을 타고 곧장 앞으로 나갈 수 있게 했다. 2층의 앞은 문이었다. 한가운데 기둥을 사이에 두고 양측 면에서 대문처럼 문이 밖으로 열리면 바로 상륙을 위한 나무판이 2조를 이루어, 세 개씩이 연달아 미끄러져 선수 양측에서 바다로, 땅으로 내려놓게 되어 있었다. 상륙발판이다. 대기하고 있던 기마대가 바로 달려나갈 수 있었다.

2층의 지붕이자 3층은 상갑판이었다. 웬만한 기존의 함선보다 사람 키 두 배는 더 높아졌다. 접전에서 활을 쏘거나 창을 쓰는데 유리할 터였다. 상갑판 뒤쪽에 큰 집을 2층으로 한 채 더 지었다. 그 집의 아래층에는 4, 50명이 있을 공간이 마련되었다. 2층은 사방을 경계하도록 망루로 지었다. 거기에 주된 돛을 맨 아래 용골과 이어 달게 했다. 앞에 보조 돛을 달게 했다. 돛은 가운데 큰 것이 한 개요 앞뒷면에 작은 것 두 개가 달려 3개가 1조가 되었다.

다 되어 간다ー

그리고 또 다른 배의 밑그림을 그리고 있었다. 그 배의 설계에는 여구의 전혀 다른 계획도 숨어 있었다. 그것은 진하연에게만은 가르쳐 줄 수 없었다. 유화과(油火果) 화과탄(火果彈)을 날려줄 투석기를 설치할 수 있는 배. 그것을 다 보여줄 수는 없었다.

그런데 알았다ー

진하연이 알아 버렸다. 뭔가 다른 것이 상갑판을 연구하는 과정에 숨어 있다는 것을 알았다. 상갑판. 여긴 새로운 개념의 전쟁도구가 들어올 자리다. 진하연이 직감했다. 그리고 그것이 서운해졌다. 여구에게 아무 얘기도 못 들은 것이다.

날 안 믿는구나―

진하연이 잠시 여구와 소원해졌다. 그때 보았다. 설귀는 틈을 보았다. 진하연과 여구, 연희의 관계를 볼 수 있었다. 설귀가 꾀를 냈다. 진하연에게 얘기했다.

"배 만드는 것에 바쁘다고 소문이 났습니다. 태자께서 보고 싶어 하십니다."

흑천 서위와 태자 일행이 새로운 배를 만드는 것과 양잠에 대해 알았다고 했다. 그리고 한성백제에 이를 보고 하기 전에 진하연을 만나려 한다고 했다. 말을 맞추시라고 했다. 그리고 부여 의라계 일족이 야마다 신궁(新宮)의 수뇌를 노린다고도 했다. 그들은 고구려에서 왔고 야마다를 약화시키고자 고구려의 최고 무예집단인 조의 선인들과 함께 잠입했다고 했다. 실제 지난번 연희 살해음모는 그 조의 선인들의 짓이라고 그렇게 거짓 정보를 흘렸다.

상의할 일이 있다―

급했다. 진하연이 여구에게 연통을 넣었다. 그것은 함정이었다. 설귀의 치밀한 계략이 숨어 있었다. 설귀는 따로 사람을 풀었다. 흑천 서위와 태자 측에도 고구려 특수무사들인 조의 선인들이 진하연을 노린다고 전했다.

그리고 마가—

야마다 신궁 옆 마가(馬家)에 있던 연희에게도 이 얘기는 흘러들었다. 설귀는 조금 모자란 아이를 하나 골라 그렇게 일렀다. 진하연과 여구를 고구려의 자객이 노리고 있다.

"여구 형을 고구려 자객이 죽이려고 한데요. 지금이래요!"

그 말이 연희를 당황하게 했다. 침착함을 잃었다. 놀랐다. 얼른 근처에 있던 호위장 여강을 보냈다. 그리고 즉시 자신의 호위 무사들을 불렀다. 군사들도 불러 함께 가야 했다. 진하연도 염려되었지만, 여구가 더 걱정이었다. 여구는 다른 사람이다. 연희 공주에게는.

여구가 왔다—

여구는 날이 어두워서야 배 만드는 곳과 포구 사이에서 기다리던 진하연을 만났다.

"조의 선인의 증거입니다. 가우리 문양이 분명합니다. 노리는 것은 연희 공주라고 했습니다. 당분간 연희 공주가 돌아다니시면 안 된다고 했습니다."

그리고 백제 태자의 귀에 모든 일이 들어갔다고 했다. 상의 없이 전쟁준비를 한다고 그렇게 보고되리라고 했다. 그래서 만나자고 했다. 태자가 물으면 배는 대형 상선을 만든다고 하자. 곡물을 나를 것이라 해야 한다고 했다. 입을 맞춰야 다른 소리가 없을 듯 했다. 양잠은 오디 뽕나무를 우연히 발견한 열도 백제인들이 한번 해보려고 해서 말리고 있는 것으로 해야 했다. 바로 자신도 그렇게 말할 테니 다들 그리 알고, 서로 전하라고 했다.

무사해서 다행입니다-

여강이 급히 달려왔다. 진하연과 여구 둘 다 무사했다. 무슨 일이냐고 여구가 여강에게 물었다. 갑자기 무장한 흑천 서위와 태자 일행도 왔다. 야마다와 백제 무사들이 서로 마주 섰다.

무사하십니까―

　진하연의 안녕을 묻고 있었다. 그제야 진하연이 뭔가 퍼뜩 떠오르는 것이 있었다. 여강에게 물었다.

"누가 우리가 위험하다고 일러 주었습니까?"

　진하연이 물었다. 여강은 들은 대로 연희 공주라고 했다. 그 순간 여구도 진하연도 아차 싶었다. 고구려 조의 선인들이 노리는 것. 그것은 바로 연희 공주였다. 공주에게 위해(危害)를 입히고 백제와 야마다가 긴장하게 하는 술수라고 판단했다. 바로 움직여야 했다. 여강과 여구는 연희가 있는 곳으로 급히 말을 몰아 달려갔다. 흑천 서위는 태자 걸걸과 진하연을 보호해야 했다. 흑천 서위의 일행 중 왕비가를 따라온 일부 고수들이 먼저 말을 타고 따라갔다. 태자 걸걸이 그리하라고 했다. 진하연과 태자 걸걸, 그리고 흑천 서위 일행과 야마다 병사들이 그 뒤를 이었다.

　연희는 여자 호위 무사 넷과 일부 야마다 군사를 데리고 여구가 진하연을 만나는 곳으로 오고 있었다. 해가 떨어진 뒤라 그림자가 깊었다. 그 뒤를 설귀 일행이 검은 복면을 하고 따르고 있었다. 멀리 포구를 향해 가는 길 쪽에서 여강과 여구가 오고 있었다.

이때다―

설귀가 신호를 보냈다. 그 신호에 따라 설귀 일행이 나섰다. 표창들이 날았다. 앞에 달려가던 군사들이 일순 표창을 맞고 쓰러졌다. 설귀 일행 셋이 칼을 들고 연희와 여자 호위 무사들을 향해 달려들었다. 일대 소란이 일기 시작했다. 호위 무사들은 연희를 보호해야 했다. 자객 셋의 실력이 남달랐다. 일거에 군사들이 다 쓰러졌다. 여자 호위 무사들만으로는 위태로웠다.

멈춰라―

여강이 말을 타고 달려나왔다. 여구가 그 뒤를 따르고 무사 다섯이 뒤를 이었다. 자객 세 명과 여강, 여구 그리고 백제 무사들이 붙었다. 여자 호위 무사들과 백제 무사들이 연희를 보호하기 시작했다. 우선 연희를 피신시키는 것이 급선무였다.

공주를 모셔라―

눈부신 실력의 자객 세 명의 공격을 여강과 여구, 그리고 백제 무사 둘이 막고 있었다. 연희 일행은 백제 태자 일행이 오고 있는 길로 돌아가야 했다. 그 싸움은 점점 자객들에게 불리해졌다. 그때 복면한 설귀와 또 한 명의 자객이 나섰다. 순식간에 상황은 역전되었다.

네가 여강이냐? 망아야-

그 소리에 흠칫 여강이 놀랐다. 망아- 왜 자신의 어린 시절의 이름을. 잠시 주춤하는 사이, 백제 최고수 설귀의 검기(劍氣)가 쏟아졌다. 엉겁결에 그것을 막아냈다. 다르다. 이전의 자객과 검의 위력이 달랐다. 바로 그 순간, 여구는 보았다. 여강의 바로 옆에서 같이 자객과 싸우던 백제 무사 하나가 칼을 잘못 휘둘렀다. 그의 칼이 여강의 옆구리에 박혔다. 여강이 칼에 맞았다. 그러나 백제 무사는 더 깊숙이 여강의 옆구리를 쑤셨다.

아니다-

여구는 그제야 사태를 파악했다. 여강이 목표다. 여강을 백제가 죽이려 한다. 자신의 안위를 염려할 순간이 아니었다. 분노에 의해 여구의 감정이 폭발했다. 여구가 복면한 설귀와 백제 무사를 향해 덤볐다. 그 찰라. 자객의 칼이 여구의 팔을 스쳤다. 여구가 뒹굴었다. 자객의 칼은 여구도 노렸다. 살인(殺人) 멸구(滅口). 죽여서 입을 막아야 했다. 상대가 안 됐다. 위기였다. 여구는 필사적으로 도망쳤다. 도망치는 끝에 해안 절벽이 있었다. 그 끝에 서 있었다. 자객은 여구를 몰아세우며 다가왔다. 백제 최고의 무사 중 하나다. 여구의 실력이 감당하기 어려웠다. 그때 복면을 한 설귀가 표창을 꺼내 날렸다. 그 표창이 자객의 옆을 스치고 자객을 상대하던 여구를 향했다. 그것을 여구가 느낀 순간, 표창은 엄청난 힘으로 가슴에 꽂혔다.

탁-

그 강한 충격으로 여구는 절벽 아래로 밀려나 떨어졌다. 자객도 설귀도 분명히 보았다. 갈비뼈를 부러뜨리고 심장에 꽂혔다. 여구도 죽었다. 후환이 있는 자는 모두 없애라 했다. 왕비 하료의 명이었다.

저기다-

그런 상황에서 진하연과 태자 걸걸, 흑천 서위 일행이 연희

공주와 여자 호위 무사들이 함께 우르르 오는 소리를 들었다.

됐다—

이심전심(以心傳心). 왕비가 출신 백제 무사들은 누군지도 모르는 자객과 서로 눈빛을 교환했다. 목적이 같았다. 설귀 일행은 말을 타고 재빨리 도망쳤다. 그 뒤를 왕비가의 백제 무사들이 쫓았다. 어설프게. 도망치게 해주었다. 그리고 도망친 그들을 잡지 못하고 허탈하게 돌아왔다. 그렇게 쉽게 여강도 여구도 죽일 수 있었다. 왕비 하료의 명을 따라서.

사태는 간단명료했다—

고구려 조의 선인들이 연회를 습격했다. 이를 막다가 여강과 여구가 죽었다. 야마다와 대해부가는 충격에 휩싸였다. 특히, 노령의 대해부는 이게 도무지 있을 수 없는 일이라 여겼다. 하늘이 무너진다더니… 이게 웬일인가 싶었다. 될 일이 아니었다. 돼서도 안 되는 일이었다. 어떻게 찾았는데… 그런데 그 손자를 잃었다. 절대무왕이 될 왕재 중의 왕재가 죽었다. 시신(屍身)도 못 찾았다고 한다. 믿을 수가 없었다. 믿고 싶지도 않았다. 다 찾으라 했다. 무조건 찾아내라 했다. 무조건 여구는 살아 있다고 했다. 열도 야마다는 여왕과 대해부 천인의 엄명 때문에 살벌해진다.

조의 선인들-

다 찾아라. 잡아와라. 그런 대해부의 명령으로 전 야마다에 비상이 걸렸다. 그것을 보면서 진하연은 넋을 잃는다. 자신 때문이라고 생각했다. 자책이 들었다. 힘없이 객점 처소로 돌아오는데 설귀 일행이 막 들어서고 있는 것을 보았다. 숙소에서 잠을 청하고 있을 것으로 생각했던 설귀였다. 밖에 나갔다면 자신을 몰래 경호했어야 했다. 그런데 다른 곳에서 다른 일을 보고 있었다. 설귀를 보자 진하연은 느꼈다. 뭔가 엉켰다. 피 냄새. 살인귀의 느낌이 자신에게 몰려왔다. 한 무사의 비릿한 웃음에 자신이 당했다고 생각했다. 설귀는 시치미를 떼고 있었다. 노리고 있었다. 분명히 노리고 있었다. 설귀는 여강을 노리고 있었다.

아-

그런데 자신이 속았다. 그 사실을 알고 열도로 왔었는데… 깜박했다. 자신을 이용한 것이다. 저 설귀가 여강을 죽이기 위해 자신을 미끼로 삼고 또 연회를 미끼로 삼았으며 조의 선인으로 위장해서 죽였다. 일은 그렇게 된 것이다. 심증은 확실했다. 허나 물증이 하나도 없었다. 그렇게 당했다. 그 일에 앞장을 선 꼴이었다. 망연자실했다. 설귀. 저 무괴(武魁)가 죽였다. 그래서 백제 최고의 무사가 온 것이었다. 왕비 하료의 명을 받고. 그제야 진하연은 자신을 같이 보낸 왕비 하료의 의도를 알았다. 자신을 미끼로 여강을 죽이려 한 것이다.

여강도 여구도 죽었다–

마가(馬家) 고하 소도 사람들은 말을 잃었다. 단복과 초로도 그랬다. 이게 무슨 일인가. 여구가 죽었다. 여강도. 여강의 시체가 돌아오자 믿기지 않았던 일이 현실로 다가왔다. 진짜 죽었다. 믿어지지 않는 그 일이 벌어졌다. 단복은 하늘을 보았다. 밤하늘에 북두칠성이 밝게 빛나고 있었다. 그날처럼…

運 움직이는
三 삼이
四 사를
成 이루고
環 둥글게 에워싸면
五 다섯과
七 일곱이니

一 하나가
妙 빼어나고 훌륭하게
衍 넓어지면

七 일곱이니

북두칠성이 밝은 어둠을 내고 있었다. 잿빛 늑대 한 마디가 먹이를 앞에 두고'어우- 오우-'울고 있었다. 무엇을 그리 맛나게 먹으며 울고 있는가. 은자(隱者)들은 그리 생각했다. 망자의 섬에서 대해부의 와달라는 표식을 받고 야마다 포구 인근에 이제 막 도착하여 작은 배를 숨기고 있었다. 그런데 한 은자가 늑대 발아래 희멀건 먹이라고 생각했던 그것을 보았다. 사람이었다. 순간 재빠르게 표창을 하나 꺼내 늑대에게 날렸다.

깽-

늑대가 쓰러지자 얼른 달려가 보았다. 거기 애처로운 눈빛을 하고 있던 늑대와, 늑대 먹이를 보고 은자(隱者)가 매우 놀랐다. 늑대 앞의 한 사내. 순간, 은자들의 눈에 사내의 팔에 난 칼자국이 보였다. 심장에 박힌 표창도 보였다. 그 사내가 얕은 숨을 쉬고 있었다. 아직 숨이 붙어 있었다. 물에 휩쓸려 온 듯했다. 포구가 그리 떨어지지 않은 바닷가에 한 사내가 죽어가고 있었다.

실수다–

늑대는 사내를 먹이로 하지 않았다. 사내를 깨우려 하고 있었다. 상처를 핥은 흔적이다. 늑대가 이 사내를 구한 것이다. 늑대 이빨에 물어뜯긴 옷이 보였다. 먹이라면 살을 뜯어 먹었을 것이다. 상처를 핥지 않고 물어뜯어 먹었을 것이다. 그것이 한눈에 들어왔다. 때로는 피의 본능을 이기고 사람을 살린다. 그 또한 자연의 또 다른 법칙이다. 하늘의 뜻에 따르는 법칙. 그만큼 은자들은 고수였다. 한눈에 모든 상황이 들어왔다. 사내의 출혈을… 추궁과혈(椎躬過穴)로 출혈을 우선 막았다. 늑대의 출혈도 막았다. 곧 치료하면 될 것이었다.

미안하구나—

표창을 던진 은자가 늑대를 살폈다. 아직 죽지는 않았다. 그 은자는 늑대를, 다른 은자들은 겨우 숨이 붙어 있는 사내를 더 살폈다. 사내의 이마에 흉터처럼 핏발이 서 있었다. 그 흉, 핏발 선 대흉은 천하의 대(大) 살성(殺星) 주작(朱雀)의 기운이 아닌가. 수만 명을 죽일 사람이었다. 진정 살려선 안 될 사람이다. 은자들은 고민한다. 왜 늑대는 이 사람을 살리려 하고 있었을까. 하늘은 왜 이 사람을 살리려 하는가. 또 이 사람 심장은 이렇게 표창을 맞고서도 어떻게 뛰고 있나? 은자들이 옷을 벗겼다. 갑옷 대신 군복 속에 넣어 목숨을 지키는 데 사용하는 나무판, 호대(護帶)가 먼저 보였다. 야마다의 호위 무사인 듯하다. 그런 사내의 옷 안에 하급병사들의 나무 호대가 들어 있는 것도 이상했다. 그 나무판이 절묘하게 심장을 다치지 않게 막고 있었다. 호대(護帶)란 본디 가볍고 단단한 삼나무에 방수(防水) 칠을 해서 사용하는 것이다. 그러나 이 호대는 다른 나무 호대와 달라 보였다. 한 은자가 보고 고개를 갸웃한다. 나무와 나무 사이에 명주비단이 들어가 있었다. 아교풀을 먹인 듯 얇은 나무들을 붙이고 가슴 쪽으로 다시 베와 명주로 덧댔다. 고급이다. 손이 많이 가 있었다. 나무를 가로세로 여러 겹을 겹쳐 만든 새로운 것이다. 무게는 보통 호대보다는 약간 더 무거웠다.

혹시나-

한 은자가 입을 열었다. 혹시. 저 북두칠성이 바로 서고, 삼
태성이 다시 밝으면 그 사람이 온다고 했다. 그 사람을 기다리
고 기다리는 데… 혹시나 해서… 그래서 사내의 바지도 내렸다.
뒤로 돌려 엉덩이 위를 보았다. 문양이다. 문신이 새겨져 있다.
단동십훈(檀童十訓).

아-

놀랍다. 근자부 스승이 말했다. 북두칠성이 밝아지면 대해부
가에서 연락이 올 것이다. 그 사람을 데려가라 할 것이다. 백제
비류왕이 보낼 것이다. 소서노 모태후가 얘기했던 그 기재(奇
才)가 오리라고 했다. 그 기재의 표식은 엉덩이 위에 소서노 모
태후의 목걸이 문양과 단동십훈 문신이 있다. 절대무왕. 대 살
성이다. 백호 대살 등 칠살 기운을 극성으로 가지고 있을 것이
다. 군왕이란 그런 것이다. 죽이고 살리고 주고 뺏고… 죽여도
죽으면서까지 감사해 해야 하는 사람. 그 운명은 그래서 천하의
대 살성과 하늘의 귀인, 땅의 정기가 뭉친 사주여야 한다. 그
기운들이 얼굴과 골격, 그리고 눈에서 뿜어져 나온다. 그 살기.

엄청난 칠살과 괴강이 있어야만 진정한 대군왕이 된다. 화를 내면 그의 앞에서 저절로 오금이 저려야 한다. 그것이다.

그다-

은자들은 재빠르게 움직였다. 늑대와 사내를 데리고 오던 길로 돌아간다. 작은 배에 오른다. 포구 저쪽에서는 횃불들이 번뜩였다. 사태가 심각한 듯 했다. 이 사내. 뭔가 야마다에서 틀어졌다. 그래서 이 지경이 되었다. 그 불빛들. 이 사내를 위해(危害) 할 수 있는 자들이라고 생각했다. 은자(隱者)들은 돌아가기로 했다. 어차피 자신들이 데려가야 할 사람이었다.

뭐든 찾아라-

그러나 시신(屍身)이나 여구의 다른 흔적들은 야마다 포구 인근에 전혀 없었다. 무엇이라도 다 찾으라고 했다. 대해부는 이성을 잃고 있었다. 또 한 사람 연희도 그랬다. 야마다는 일순 초상집이 되었다. 백제도 야마다도 그렇게 이성(理性)을 잃고 있었다.

보고 있었다. 나를-

나는 어떠한 존재인가. 어디에서 어떻게 왔는가. 무슨 존재로 어디서 어떻게 왜 살고 있는가. 의식하고 있었다. 분명하게. 누워 있었다. 파도에 휩쓸려 떠내려가던 나를 개가 와서 물가로 끌어올렸다. 사람들이 보였다. 하늘에 별을 본다. 북두칠성. 그 사람들이 나를 살핀다. 거기까지다.

나는 내가 아닌 다른 것과 다른 나를 찾아야 했다―

나는 다른 것과 구별되기 위해 내가 속한 세상과 단절된 나를 찾았다. 그래야 세상과 함께 사는 나를 찾을 수 있을 것 같았다. 내가 아닌 다른 것과의 관계를 살피면 바로 참 나의 실체를 알 수 있는 것이 아닌가. 먼저, 나는 내 세상을 연결하고 있는 것이 끊어진 그 순간. 보았다. 내가 세상과 연결된 것들. 정확히는 내가 세상을 느끼게 하는 것들에 대한 새로운 발견이었다. 내가 세상을 느끼는 창구가 다 없어지니 세상과 소통하는 나를 찾을 수 있다. 뜻밖에 쉬웠다. 시각, 청각, 후각, 미각, 촉각. 그랬다.

여구는 죽음 직전, 새로운 공부를 하고 있었다. 그 누구도 설명하지 못하는 공부. 삶과 죽음의 사이에서다. 감각기관들이 다

멈춘 것 같았다. 다섯 가지 감각기관이. 여구 자신이 세상을 느끼는 것의 원류인 오감은 곧 참 나가 세상을 느끼는 창구다. 이들 감각 기관들은 곧 세상을 향해 표현할 수 있는 도구가 되기도 한다. 시각이 없어지니 보이는 것이 없어지고, 청각을 없애고 나니 들리는 것도 다 없어진다. 그리고 후각도 미각도 촉각마저 없어지니… 세상이 없어지고 오직 나만 남는다. 이걸까? 그럼 세상은 어디 있는가. 내 세상. 아니 형 여강의 세상. 죽은 어미 우아의 세상. 죽은 사람들의 세상은 어디 있는가. 아니다. 산 사람들의 세상은 어디 있는가. 나는 어디에 있는 것인가…

으−

피를 한 사발 토했다. 그러니 빛이 들어왔다. 작은 빛. 사람들이 보고 있다. 하나같이 건장하고 강한 인상이다. 보았었다. 자신을 들고 온 사람들이다. 순간 온몸에서 여러 감각이 살아온다. 마치 처음 세상에 나온 것처럼 신비한 느낌이다. 무엇이 나를 살린 것일까? 여구는 생각해냈다. 여강. 형이 죽었다. 담담하다. 눈물도 나오지 않았다. 누굴까? 왜 죽이려 했을까? 형도 나도. 왜 죽여야 하는가.

이것이 살렸다−

아, 호대다. 진하연이 준 나무판을 개량해보려고 했었다. 거기 마음이 있었다. 살고자 하는 마음들이 가슴 아프게 있었다. 가슴에 담고 뛰어야 하니 가벼워야 하고 구하기 쉬워야 하니 삼나무를 깎아 만들었다. 땀에 썩을 것 같으니 칠을 해서 그것으로 목숨을 보전하려고 하는 하급병사들. 그들 마음이 너무 안쓰러웠다. 그래서 차보았다. 가슴에. 그러니 딱딱했다. 이런 것으로라도 목숨을 부지하고자 한다. 살고자 했다. 그래서 삼베로 속을 대고 살이 닿는 곳에 명주비단도 대 보았다. 나무도 결이 있어 한 방향으로 내려치면 쉽게 깨진다. 그런 보호대는 효과가 없을 것 같았다. 아교를 먹여 가로세로 결을 어긋나게 붙였다. 그러자 방어력이 좋아졌다. 표창도 거뜬히 막을 수 있을 것 같았다. 새로운 호대를 직접 차면서 실험하고 있었다. 그랬는데…

그것이 너를 살렸다—

하급병사들을 살리고자 한 그 마음이 여구를 살린 것이다. 그런 것이다. 세상은. 여구는 그제야 잠을 자고 싶었다. 그전에 한 가지 궁금한 것을 물어야 했다.

"여기가…"

"망자의 섬이다. 천인대. 소서노 모태후와의 약속을 기다리고 있다."

아, 그렇구나. 대해부 어른이 그랬다. 망자의 섬. 은자(隱者)들이 올 것이다. 거기 가서 근자부 대선사를 만나라. 그들이 오면 가라. 거기서 만나라. 그래서 오게 되었구나. 그리고 깊은 잠에 빠졌다.

꿈에서 보았다-

연희가 꿈을 꾸었다. 연희 자신이 안개가 짙게 낀 산길을 가고 있었다. 검은 반달곰 두 마리가 있었다. 곰 한 마리가 인사를 한다. 자신의 발을 한 번 핥고 눈물을 뚝뚝 흘린다. 그리고 그 옆 작은 반달곰을 핥더니 잽싸게 뒤돌아 간다. 그리고 남은 반달곰이 그 뒤를 따라서 가려고 하는데 연희가 가지마! 하며 불렀다. 그랬더니… 그 반달곰이 돌아오는데 아주 커다란 백곰이었다. 하얗고 큰 백곰이 자신을 와락 껴안았다. 너무 무서웠다. 깜짝 놀라며 잠에서 깼다. 그리고 생생한 그 꿈에 대해 생각해보았다. 백곰. 좋은 꿈이었다. 태몽인가 싶었다. 그게 49일 전인데… 그런데 이렇게 흉사(凶事) 시기(時期)에 뭐 이리도 좋은 꿈인가 했다. 그 순간,

살아 있다–

여구는 살아 있다. 이 꿈. 반드시 여구가 살아 있으리라고 믿었다. 꿈을 인화와 대해부에게 말했다. 대해부는 인화와 연희에게 여구와 선화의 일을 애기했다. 대해부가 연희의 말을 받았다. 그렇다. 살아 있어야 한다. 반드시 살아 있어야 한다. 그렇게 말했다. 그리고 죽지 않으리라고 했다. 제 어미 선화가 지킬 것이라 했다. 선화가 반드시 지켜서 돌려보내리라고 했다. 인화도 그런 아비의 사랑에 눈물지었다.

아비는–

운다. 선화의 아들을 찾았는데 고구려 조의 선인들의 자객을 막다가 죽었다고 했다. 여강, 그 망아는 칼에 베여 즉사하고 그 쌍둥이 동생은 심장에 표창을 맞고 해안절벽 아래로 떨어졌다고 했다. 둘 다 죽었다고 했다. 설거가 비류왕에게 말했다. 비류왕은 보고를 듣고서 처음에는 믿지 않았다. 그래서 더 자세히 알아보라고 했다. 열도에서 사람들을 오라고 했다. 자신이 직접 물어보겠다고 했다. 그러나 곧 알게 됐다.

왕비 하료다−

왕비족 진씨가의 백제 무사들이 열도에서 왔다고 했다. 설거는 이것이 가장 좋은 기회라고 생각했다. 그래서 왕비가의 무사들이 돌아온 것을 비류왕에게 보고했다. 그들은 두둑한 보상을 받고 나올 것이다. 그들을 잡아라! 했다. 설거는 그럴 참이었다. 그러나 무사들은 돌아 나오지 않았다. 왕비가에 들어가기만 했지 나오는 자가 없었다.

사흘 후−

열도에 다녀온 백제 무사들이 풍토병을 옮겨와 다른 곳에 격리되었다고 했다. 그리고 그들은 다 죽었다고 했다. 무사들은 왕비 하료에게 자신들이 그 형제들을 모두 죽였다고 말했다. 공을 크게 세우고 싶었다. 왕비 하료가 열도에서 온 무사들을 모두 죽이라 은밀히 명령했다. 살인멸구(殺人滅口)다. 왕비 하료는 설귀의 공이 크다고 생각했다. 교묘한 양수겸장이었다. 백제 무사를 여강의 옆에 두고, 설귀는 은밀하게 복면을 한 채로 공격했다. 두 번의 기회를 엿본 것이다. 이제 증거는 다 사라졌다. 설귀 일행은 고급 무사다. 아니 관료다. 자신의 명예를 위해서라도 목숨을 걸고 이 비밀을 지킬 사람들이다. 하급 무사들과 다르다. 그들은 왕비 하료 자신과 공범이고 그 공범의식은 백제 고마성에서는 곧 힘이다. 설귀 일행은 이제야 왕비 하료의 사람이 된 것이다. 진정한 하료의 정치적 동지가 된 것이다.

"설귀 공은 본대로 들은 대로만 이야기해 달라."

"조의 선인이 자객으로 온다는 정보가 파다했습니다. 그래서 진하연님께 말씀드려 조심하게 했습니다. 연희공주를 납치하려는 자객들에게 여강 호위장과 군사들이 모두 죽임을 당했습니다. 저희 백제 무사들과 태자께서 연희공주는 무사히 보호하였습니다."

그렇게 잘 짜진 각본을 얘기해주었다. 왕비 하료는 그런 설귀를 비아냥거렸다. 비류왕 앞에서. 그런 왕비 하료 때문에 비류왕 여호기는 설귀에게 새로운 관직을 내리기로 마음먹었다. 하료의 반대파들을 중용하기로 했다. 비류왕은 자신의 아들이자 선화의 아들이 죽은 그날부터 왕비 하료에 대한 분노에 치를 떨었다. 그래서 조정의 모든 권력에서 우선 하료를 배제하기로 했다. 설귀에게 병관좌평을 맡기기로 했다. 그러나 이 모든 것은 하료의 의도대로였다. 하료는 설귀에게 자신이 설귀의 승진을 막으면 비류왕이 병관좌평을 시킬 것이라 했다. 그대로 됐다. 설귀는 하료의 계략에 감탄했다.

"정말인가?"

한밤중 비류왕은 아무도 몰래 대천관 신녀를 찾았다. 그리고 물었다. 정말 자신의 아들이 죽었는가. 그리 물었다. 비류왕도 느낌이 있었다. 여강, 망아가 아니다. 대해부가 데려온 그 청년 행수. 그가 바로 자신의 아들. 선화의 아들이다. 아무리 생각해도 그랬다. 하료 또한 그리 보고 있었다. 왕비 하료가 자꾸 대행수에 대해서 묻자, 그 관심 때문에 청년이 자꾸 더 생각이 났다. 그래서 자신도 그 청년이 대해부가를 맡을 신진기수이고 바로 자신의 아들이 아닐까 그리 생각했다. 대천관 신녀에게 물었었다. 답은 간단했다. 보신 그대로라고 했다. 그리 볼 수 있을 정도로 왕기가 세다고 했다. 비류왕 자신을 닮았다고 했다. 그 아들이 정말 죽었냐고 대천관 신녀에게 다시 물었더니 대천관 신녀는 하늘을 보라 했다. 북두칠성이 밝았다. 요즘 들어 제4성이 유난히 밝아 보였다. 그리고 말했다.

"어제 꿈을 꾸었지요. 칠성께서 제게 보였습니다. 구름이 낀 하늘을 뚫고 제게 빛을 보였습니다. 별 다섯이 한 줄로 늘어선다 했습니다. 천지에 대 흉사가 있을 것입니다. 그 후 다시 칠성이 빛을 발하고 있었습니다. 그렇습니다. 지금은 고난입니다.

그 고난과 시련을 이겨야 비로소 왕께 올 것입니다. 저는 아직 안 죽었다고 확신합니다. 죽은 자는 산 자를 위한 하늘의 뜻입니다."

대천관 신녀는 그렇게 확신했다. 죽은 자, 여강의 관상은 단명 상이다. 그러나 여구는 길고도 긴 수명을 타고났다. 칠십이 거뜬히 지날 것이다. 벌써 죽을상이 아니다. 벌써 죽으려고 제 어미를 제물로 하고 태어났을 리 없다. 해야 할 일이 많다. 그래서 죽을 수 없다. 하늘은 그런 것이다. 다른 이들을 위해 해야 할 일이 많은 사람을 그때가 되기 전까지는 데려가지 않는 법이라고 말했다.

생명은—

날 생(生)에 목숨 명(命). 목숨이 난 것이다. 목숨은 무엇인가. 그건 바로 사람(人)이 하나(一) 입(口)에 달고 나온 깃발이다. 군절(卩)이다. 표시요. 표현할 그것이다. 즉 그냥 태어난 것이 아니다. 생명 하나하나는 곧 이 세상에 온 목적이 있으며 그 목적을 이루려 산다. 명(命)은 곧 하늘의 뜻, 천명(天命)이다. 또한 도(道)요, 자연의 이법(理法)이다. 호적(戶籍)이며 명령함이고, 가르치고, 알리는 것이고, 이름 짓는 것이며, 이름을 붙이는 것이다. 이름이 붙지 않은 것은 존재하지 않는 것이니… 이름 붙은 이것이 생명이다. 목숨이다.

신(神)이 명령을 내려 그것에 복종시키는 일이 곧 명(命)이다. 목숨이다. 이유가 있다는 것이다. 명령은 해야 할 일을 의미한다. 해야 할 일이 있는 사람의 목숨은 그래서 살아 있는 것이다. 그것이 도(道)요 자연의 이법(理法)이다. 여구는 해야 할 일이 많은 사람이다. 수명은 길 수밖에 없다. 진하연도 자신의 꿈을 믿었다. 기다리기로 했다. 왕비 하료에게 따졌다.

"…?"
"정말 모르십니까?"
"나는 모른다."
"정녕 모르십니까?"
"그렇다."

진하연은 왕비 하료에게 진심을 다해 물었다. 그러나 대답이 그러하자 말해주었다.

"위기가 오고 있습니다. 열도에서 두 사람이 죽었는데… 두고 두고 화근이 될 것입니다. 그 일로부터 시작해서 큰 화가 닥칠 것입니다. 큰 벌을 받을 것입니다. 하늘의 벌을 받을 것입니다."

그렇게 독살을 쐬주었다. 왕비 하료는 깜짝 놀랐다. 진하연이 크게 변했다. 열도에 다녀와서 말도 적어졌지만, 갑자기 소녀에서 어른이 되어 버렸다. 진하연은 왕비 하료에게 그 일에 관련된 자, 그렇게 된다고 했다. 죽는다? 죽을 것이다. 이 일을 시킨 사람에게 그런 일이 다시 벌어질 것이다. 그러니 업보다. 다른 이가 그리 얘기했다면 당장 능지처참했을 것이다. 더구나 자신이 일을 꾸몄다고 밝힐 수는 없었다. 그저 살인의 현장에서 놀란 마음으로 그렇게 말하는 것으로 치부해버렸다.

절대 안 잊는다–

진하연은 왕비 하료를 만나고 나와서도 열도에서 일을 절대 잊을 수 없다고 다짐했다. 그렇게 허무할 수 없다. 더욱이 자신이 빌미가 되었다. 왕비 하료의 미끼가 되어 열도로 가고 다시 설귀의 낚싯밥이 되어서 여구, 여강을 불러들였다. 그리고 결국 죽게 했다. 한성백제로 돌아온 뒤에도 자책감이 내내 들었다. 그리고 가슴이 너무 저렸다.

여구–

그 사람만 생각하면 가슴이 메어지고 한숨이 깊어졌다. 가만히 있으면 눈물이 나왔다. 자꾸 맴돌았다. 명주비단을 만드는 법을 제대로 다 못 가르쳐 준 것도… 배 만드는 데서 장난친 것들도 모두 아쉬움으로 남았다. 사람은 죽었는데 그 사람이 자꾸 떠오르고, 살아나오니 정말 미칠 노릇이 아닐 수 없었다. 날마다 괴로웠다. 그 사람. 연희 공주가 사랑할 수밖에 없다더니… 그 사람을 하연은 자신도 사랑했었나… 울보가 되어버렸다.

運 움직이는
三 삼이
四 사를
成 이루고
環 둥글게 에워싸면
五 다섯과
七 일곱이니

一 하나가
妙 빼어나고 훌륭하게
衍 넓어지면

　　一　하나가

　　치료가 시작되었다. 기(氣)를 모았다. 한 사람, 한 사람. 각기 다른 기(氣)들을… 본원의 진기(眞氣)를 모아 주었다. 무인(武人)들이 평생 모은 진기를 조금씩 모아 주고 있었다.

　　망자의 섬에서 한 사내가 변화하고 있었다. 여구는 알게 되었다. 하나가 모여 둘이 되고, 둘은 다시 셋이 된다. 그제야 비로소 선다. 산다. 사람이 살아갈 수 있다. 하나는 하늘이요. 둘은 땅이다. 셋은 사람이다. 천(天), 지(地), 인(人)이 세상의 구성 요인이자 원리(原理)다. 하늘의 씨줄인 아비가 땅인 어미를 만나 천지조화를 이루어야 사람이 태어난다. 삶이 그렇다. 사람이 하는 것이 삶이다. 이렇듯 한 시대의 일을 하는 사람에게도 하늘은 사람을 준다. 사람이 자신의 진기(眞氣)를 주어야 비로소 시대의 소명을 다할 수 있다. 진기들이 모여서 단전(丹田)에 대해(大海)를 이룬다. 그 대해가 하늘의 기운인 천둥과 벼락을 맞으면서 풍랑을 이루고 노도처럼 온몸을 타고 흐르면 그 기운이 넘치고 넘쳐서 세상을 움직인다. 그것이 바로 운기(運氣)다. 세상을 움직일 수 있는 기운(氣運)이다.

태을—

검법 묘미를 깨달았다. 태을(太乙). 가로(一)로 천천히 그었다. 그리고 사람(人), 그리고 곧게 내리뻗어 점(ヽ)을 찍었다. 을(乙)로 흘렸다. 천천히 그렇게 품었다. 하늘과 사람과 그 혼란에 점을 찍고 흘렸다. 다 흘려보냈다. 거기 백제 제일 검법이라 하는 태을검법이 있었다.

달을—

벤다. 물 위에 비친 달을 벤다. 여구는 참 진(眞)을 다한다. 달이 베인다. 처음에는 화가 나서 칼로 내리쳤다. 검 열두 개를 부러트렸다. 물에 튕긴 것은 검이요. 자신의 분노였다. 이를 식혀야 했다. 마음의 진정을 얻기 위해 태을을 추구했다. 달(月)을 베었다. 해(日)도 벨 수 있을 것 같았다.

망자의 섬에서 은자(隱者)들은 놀랐다. 불과 일 년이 안 되어서 여구는 득검(得劍)을 이루었다. 모든 것이 마음에 달렸었다. 검(劍)은 참 나의 행(行)일 뿐이다. 여구는 보았다. 망자의 섬 분지 옆 절벽에 쓰여 있는 천부(天符)의 비기(秘記), 거기에 하늘의 검법이 있었다. 우주 창조의 원리가 담겨 있었던 그 검법. 세상의 원리. 근원에 대해. 사물의 이치 그대로 검법에 운용했다.

一始無始一 析三極無盡本

첫 시작은 시작되는 것이 없이, 시작한 하나로, 셋은 아무리 나누어도 끝이 없는 본질이다. 세상일도 그러하다. 아니 세상이 그러하다. 시작되지 않은 시작. 싸우는 순간에서 싸움이 시작되는 것도 아니다. 그저 이어온 것이다. 그 흐름에서 검이 움직여야 한다. 존재하는 것을 존재하지 않는 것으로 되돌리는 것이 검이다. 진정한 검술은 존재하지 않았던 것을 존재하게 한다. 없던 것을 구한다. 없어질 것을 구해낸다. 그것이 활(活)이요,

생(生)이요, 명(命)이다. 존재하려는 것과 존재하지 않게 하려는 것. 그 넘침과 부족함. 그 둘과 그 사이 긴장(緊張)의 움직임이 바로 셋이다. 그것이 본질이다. 우주의. 만물의. 자연의. 검법의 본질이다.

天一一地一二人一三 一積十鉅無匱化三

하늘과 땅, 인간이 근본으로 하늘의 근본 시작이 쌓여서 완성하려는데 그 완성은 인간에서 이루어진다. 없는 것에서 시작했다. 잡히지 않고 없는 것 같은 하늘도 있는 것이다. 그 하나에서 둘인 땅이 나왔다. 하나와 둘은 셋으로 하나가 된다. 하늘의 뜻이 있다. 그냥 겨누는 것이 아니다. 마치 없는 듯하다. 그것이 있으므로 검들이 겨눠지는 것이다. 그리고 검(劍)은 우주를 변화시킨다. 사람을 벤다는 것, 한 우주를 이 세상에서 없애고 변화시키는 것이다. 하나가 쌓이면 모든 세상이 된다. 그렇게 쌓이고 쌓인 세상, 사람들의 연(然)들이 쌓이고 쌓인 것이 세상이다. 우주다. 이승이다. 그러니 나는 곧 우주고 세상이다. 나는 하나이며 세상은 다른 나인 둘이다. 나와 다른 나가 곧 삼이며, 이 세상의 전부가 된다.

天二三地二三人二三 大三合六生七八九

하늘과 땅과 사람은 본디 같은데, 천지인은 합하여 태극을 이루고, 그 삼태극이 천지 만물을 만들어낸다. 그래서 하늘의 다른 뜻도 땅의 다른 뜻도 사람의 다른 뜻도 다 함께 있다. 하늘과 땅, 사람이 하나인 세상이다. 세상이, 우주가 합하면 육신(肉身)이요. 육갑(六甲)이요. 육효(六爻)며 여섯이다. 일어선 다른 사람. 여섯이다. 너도 선 것이다. 나와 너, 세상과 세상, 우주와 우주라는 존재를 인정해야 한다. 그 존재. 그의 칼이 나를 해할 수 있다. 나를 살릴 수 있다. 그것은 어우러짐이다. 그 어우러짐이 새로움을 만든다. 일곱이다. 열매를 맺게 하는 여덟이다. 우리다. 우리가 된다. 하나 된 울타리. 어우러진 아홉. 아(亞) 읍(邑)이다.

運三四成環五七 一妙衍萬往萬來 用變不動本

천지인이 어우러져 움직이면 세상이 세상사(世上事)가 된다. 큰 아(我)인 내가 움직이면 너를 만드니. 큰 나(我)가 움직인 것이 너(你). 넷이다. 넷은 너로 선, 나인 셈이다. 상대를 베려면 내가 베이는 것으로 여겨야 한다. 내가 베이지 않기 위해서 또는 너를 베지 않기 위해 너를 세운다. 너가 선 것이 넷이다. 이것이 이어지고 이어지면 다 선다. 모든 만물이 바로 서 있다.

그것이 검에 느껴질 때 일곱이 열린다. 칠성의 근원. 칠원이다. 음과 양, 오행이 어우러지니 이 하나가 확대되고 확산한 것에서 모든 것이 생긴다. 만류(萬流) 귀원(歸元). 만류(萬流) 귀일(歸一)이니 그 본은 변함이 없다. 그 본질.

本心本太陽昻明 人中天地一 一終無終一

그 본질은 태양을 보는 것이다. 밝은 빛으로 내비치는 세상. 밝은 빛으로 존재하는 세상을 보고 그것을 따르는 것이다. 밝음은 어둠에서 시작했다. 그 어둠에서 시작한 밝음이 곧 세상이 나온 방향이요, 나아갈 방향이다. 검도 그렇다. 밝음을 위해 쓰여야 비로소 광명천의 진정한 검법이 되는 것이다. 사람 가운데 하늘과 땅이 하나다. 검은 그 하나인 하늘과 땅과 인간을 벤다. 우주를 벤다. 그 베고 베임이 멈추면 거기 검(劍)의 이유가 있다. 이 검법. 살리고 죽임에서 마음을 애기하고 있다. 정심(正心)이다. 일지심(一止心)이다.

절벽에 쓰여 있었다. 광명천의 비기(秘記). 망자의 섬을 이룬 그 대선사는 절벽에 하늘이 내린 큰 뜻을 담은 광명천 비기(秘記)를 적어 놓았다. 원화도(圓和道), 그 우주의 검법이 여구의 손에서 펼쳐졌다. 그것이 곧 활검이다. 사람을 살리고 세상을 바르게 하는 광명천의 뜻이다. 하나에서 열로, 원으로 둥글게 화합하는 조화검법, 원화도를 만들었다. 열 개의 초식이 펼쳐졌다.

하나. 한. 하늘. 검을 빼는 그 순간은 이미 검이 세상에 나와 있었다. 둘. 땅이다. 대지다. 대지의 기운이 모이고… 셋. 섰다. 바로 세워 사람과 검이 하나가 된다. 넷. 비로소 너, 상대를 담는다. 그 상대와 어울리는 것이 다섯. 오다. 다 서야 한다. 세워야 한다. 그래서 오는 선 것이다. 큰 삼 둘이 어우러진 것이 육이니 초식은 상대와 내가 어울리는 여섯이 된다. 그 겨룸이 일곱이다. 여덟을 지으니 남은 것을 덜고 덤으로 얻는 것이다. 아홉은 내가 숨을 쉬니 그 숨은 비로소 생이요 열린 것이다. 열은 곧 다시 하나다.

여구는 원화도 검법의 초식을 만들었다. 일(一), 이(二), 삼(三), 사(四), 오(五), 육(六), 칠(七), 팔(八), 구(九), 십(十) 모양이 곧 검행(劍行)이요 검로(劍路)가 되었다.

그 검법처럼 광명천의 비기가 열렸다-

만사가 그렇다. 세상의 대수는 하늘의 십간(十干). 십진법이다. 이로써 물(物)도 상(商)도 열렸다. 옛 단군조선의 치세(治世)가 여기 있었다. 수량의 단위요 수(數)였으니 곧 치수(治水)의 근본이고 호적(戶籍)이었으며 경전(耕田)의 단위를 만든 것이다. 십으로 나아가니 이것이 바로 십진의 원리요 법리(法理)다. 십진법(十進法)이다. 세상을 구분하게 한다. 나누게 한다. 분리하여 조화를 살필 수 있게 했다. 십(十)은 곧 열이요. 그 끝과 시작이 같으니 바로 큰 하나의 시작을 준비하는 영이다. 없음과 있음이 섞인 0에서 1이 곧 시작이요, 완전의 수 9에서 이루어놓은 큰 하나 1에서 새로 시작할 수 있는 없음인 0을 담은 것이 곧 10이다. 이것이다. 이 원리로 세상이 만들어졌다고 보았다. 그것이 천지조화이니 곧 음양의 섞임이다.

그렇게 세상은 이루어져 있다—

모든 것이 풀리고 있었다. 우주의 원리가 세상의 법칙이 거기 있었다. 그래서 하나가 중요하다. 어떤 일을 해도 처음 그 하나. 그 시작은 난데없이 나타난 것이 아니다. 어디에선가 있던 것이다. 하나가 시작된 그 하나를 하늘이라 하니. 그 뜻을 따르고 만물 물질인 땅의 이치를 내가 받아 육신을 이루었으니 나 또한 그러한 땅의 이치, 세상의 이치로 해야 할 것이다. 그래야 삼성(三成)이다. 셋에서 이루어진다. 사람은.

누구도 풀지 못했다–

광명천의 비기(秘記). 망자의 섬에 있다고 했다. 그 도(道)를 터득하면 세상이 열린다고 했다. 세상을 열 수 있다고 했다. 광명천 사람들은 망자의 섬에 있었다. 비기(秘記)를 터득할 사람을 기다렸다. 비기는 곧 광명이세(光明理世)였다. 밝달 환국 환웅천왕의 건국이념이요 치세법의 근본이었다. 광명천은 밝달 환국(桓國) 환웅님의 재림(再臨)을 기다리고 있었던 것이다.

기다린다–

살아 돌아올 때까지 기다린다. 이 같은 일념으로 여구를 기다렸다. 대해부도 그랬다. 가만히 있을 수 없어서 여구가 올 때를 위해 준비했다. 여구. 딸 선화가 죽음으로 얻은 아이다. 반드시 살아 돌아온다.

시작이다–

북두의 별이 빛을 내고, 흑천의 구슬에 서리가 꼈다. 우복은 생각했다. 이제 시작이다. 우복은 그동안 죽음을 위장해서 은인

자중했다. 금선탈각지계(金蟬脫殼之計). 매미가 껍질을 벗고 탈출한다. 실체는 탈출하고 껍데기가 적을 유인하거나 역공(逆攻)을 취할 수 있게 한다. 그리고 형인이아무형(形人而我無形). 적은 드러나게 하고 나는 보이지 않게 한다. 적을 속여 적으로 하여금 의도를 드러내도록 유인하며, 내 쪽은 흔적을 드러내지 않아 허실을 모르게 하여 승리를 취한다. 우복은 그렇게 숨어 있었다. 북성의 불은 매미 껍질을 벗고 탈출하기 위함이었다.

흑우가 식읍에 흑천을 열어놓고 그곳에서 몰래 기거했다. 그리고 흑천의 도(道)를 얻기 위해 신공 수련에 들어갔다. 흑천신공. 강(强)을 더욱 극강(極强) 하게 하려고 흡인(吸引)하는 것이다.

주는 것이 있으면 받는 것이 있어야 한다ㅡ

받는 것이 있다면 뺏는 것도 있어야 했다. 그 빼앗는 힘. 흡입술(吸入術)은 빼앗는 것이다. 사람들의 진기(眞氣)를 빼앗아 자신의 공력(功力)으로 삼는 것이다. 힘을 키우기 위해 엄청난 희생이 필요했다. 제일 좋은 힘은 원기(元氣)다. 태어날 때 가져왔다는 원기(元氣). 어린 동정(童貞)들이 필요했다.

우복-

핏기가 없는 하얀 그 얼굴에 냉기가 더욱 흘렀다. 목소리는 두 개다. 양면성(兩面性)이 극강(極强)한 흡입술(吸入術)의 본성이다. 달콤한 여인의 그것, 유혹하는 목소리와 분노했을 때의 파멸의 목소리. 그렇게 변하고 있었다. 사악한 본성으로 돌아가고 있었다. 현녀가 흑천신공(黑天神功)을 얻으려 하다가 최후 단계에서 포기한 것은 인성(人性)의 상실(喪失) 때문이었다. 어린아이들의 원기가 필요했다. 아이들의 목숨이 필요했던 것이다. 인성(人性)을 우복은 포기하고자 했다. 그래서 흑천의 비기(秘記)가 없어도 흑천신공(黑天神功)의 끝에 도달하고 싶었다. 우복이 노예무역을 계속한 이유 중의 하나가 바로 그것이었다. 아이들이 필요했다.

근자부-

아무도 모르는 곳에 은퇴자의 산이 있다고 했다. 그곳에 대선사 근자부가 갔다고 했다. 거기에 동명성왕검과 흑천의 비기(秘記)가 있을 것이라 했다. 그것을 찾아온다 했다. 그러나 돌아오지 않았다. 근자부도 은퇴자의 산에서도 연락이 없었다.

그 아무도 모르는 곳−

　무지다. 없을 무(無), 알 지(知)에 계곡 곡(谷). 여구는 주변의 산들을 보았다. 동명성왕검이 있다고 했으니… 도봉(道峰), 즉 오봉(五峰)이다. 일월오악도(日月五嶽圖). 왕(王)이 있는 곳. 왕 뒤에 있는 병풍 그림이 일월오악도다. 그렇게 해와 달과 오봉산이 그려져 있고 십장생(十長生)이 있다. 일월과 오봉은 바로 칠원성군을 형상화한 산과 그림들이다. 그래서 오봉산에는 도인이 많다. 한(韓) 반도에는 오봉을 거느린 산이 많아 신선동이다. 다섯 봉우리 산이 저 멀리 보였다. 오른손을 앞으로 뻗었다. 손을 폈다. 손에 아무도 모른다는 손가락이 있다. 무명지(無名指). 엄지, 검지, 중지, 약지… 그리고 무명지다. 거기 매우 깊은 골짜기. 무지곡(無知谷)이 있을 것이다. 아무도 모르는 곳에 있다고 했다. 아무도 모르는 곳을 안 가르쳐 줄 것이었다면 아무 말도 안 남겨 주었을 것이다. 가르쳐 줄 것이라면 단서를 남겼을 것이고, 단서는 망자의 섬에서 잘 보이는 곳에 있다. 여기 있다고 했다. 광명천에 있다고 했다. 왕검이 거기 있다. 그러니 왕검이 있을 곳. 왕과 관련된 오봉산을 찾고 거기서 무지. 무명지를 찾으면… 무지봉 아래 계곡에 있을 것이다. 여구는 생각한 곳으로 발걸음을 옮겼다.

저기다—

멀리 보였다. 새끼손가락. 다섯 봉우리에서 엄지… 그리고 골랐다. 오른손과 왼손을 놓고 모양을 보니. 오른손이다. 여구는 한 치의 망설임도 없이 길을 나섰다. 여구가 길을 나서려는데 재구가 앞장을 선다. 재구는 늑대다. 여구를 구해준 늑대. 은자(隱者)의 표창을 맞았으나 살았다. 그리고 여구와 함께 망자의 섬에서 생활했다. 표창을 던진 은자는 재구에게 미안함으로 상처에 약초도 으깨서 붙여주고 먹이도 주고 그랬다. 그러나 재구는 여구와 생사를 같이해서 그런지 아니면 자신이 살려서 그런가 여구를 더 많이 따랐다. 검(劍)을 깨우칠 때도 상대가 되어주었다. 여구의 실전 상대로 재구는 딱 좋았다. 동물적 본능을 여구에게 가르쳐 주었다. 좋은 친구, 그 재구가 함께 가자고 했다.

"알았다. 같이 가자!"

컹컹. 좋아서 짓는다. 여구는 재구의 말을 알아듣는다. 아니 그날 이후 재구는 물론 새도 나무도 모두가 소리가 있고, 소리에 언어가 있음을 알게 되었다. 높고 낮고 위태롭고 반갑고 즐겁고 행복하고… 감정이 담긴 소리가 세상에 가득했다. 거기에 자연의 조화가 있었다. 소리가 들렸다. 여구는 이곳 세상이 좋았다. 정말 아름다웠다. 자신의 세상이었다.

여구는 그 이야기를 현고에게서 들은 적이 있었다. 가림토 문자는 얇게 진흙을 펼치고 그 위에 글을 쓰고 그늘에 굳혀 남겼다. 그 보존이 천 년을 쉬이 넘어갈 수 있었다. 흙 판 위에 쓰인 그 문자는 사물 만물의 소리와 형상을 본뜬 것이라 했다. 그 소리는 곧 형상이고 또 문자다. 태초의 글은 그렇게 시작했고 이를 최초 단군께서 정전법으로 문자화시켰다고 했다. 그 소리.

소리가—

나무가 얘기해주는 소리. 새가 들려주는 소리. 하늘과 땅의 소리. 세상의 소리를 듣고 바르게 따르는 사람. 고통의 소리. 삶의 소리. 그 소리를 듣고 그들의 마음을 여는 자가 천하의 주인이라고 했다. 여구는 이제 그 소리가 들린다.

運 움직이는
三 삼이
四 사를
成 이루고
環 둥글게 에워싸면
五 다섯과
七 일곱이니

一 하나가
妙 빼어나고 훌륭하게
衍 넓어지면

妙 빼어나고 훌륭하게

펼쳐져 있었다. 언제부턴가… 연희는 누가 꼭 올 것 같아서 또 바다를 보고 있다. 야마다 포구에는 사람들로 북적이고 있었다. 거기서 여구가 달려올 것 같았다. 그렇게 보고 있었다. 하늘에서는 계속 눈이 내리고 있었다. 벌써 이 년이 지나고 있었다. 여구가 올 것 같은 날들이 그렇게 지나고 있었다. 그 사이 야마다에 큰 변화가 일고 있었다. 대해부가 급격히 노쇠해졌다.

전쟁의 바람이 불고 있었다. 고구려였다. 고구려가 선비 모용 씨족과 전쟁을 준비하고 있었다. 그 전쟁의 최전선이 바로 낙랑성이었다. 백제의 낙랑태수 장무이가 위급에 처해 있었다. 대륙 백제는 전쟁의 소용돌이에 빠지고 있었다. 대륙백제의 좌장 설 리도 바빠졌다. 고구려였다. 선비 숙신의 선우부족과 북부여를 휩쓴 고구려, 가우리가 대륙의 패자가 되기 위해 움직이기 시작 했다. 고구려는 이미 백제의 동맹국인 대칸 모용외의 연(燕)나 라 수도를 공격했다. 대극성(大極城)을 침범한 것이다.

비류왕은 지원을 위해 백제 전역에 징발령을 내렸다. 그 전쟁 의 한복판에 야마다가 끼게 된 이유는 고구려의 열도 진출이 본격화되기 시작했기 때문이었다. 열도 북쪽에 도착한 고구려 지원군이 소국들을 움직이게 했다. 고구려와 신라, 열도 북쪽 소국들이 서서히 뭉치고 있었다.

열도에 전운(戰雲)이 감돌고 있다—

그런데 야마다의 천인(天人) 대해부는 마가(馬家)가 내려다 보이는 처소에서 움직이려 하지 않았다. 단복과 초로는 대해부 에게 곤지압법을 시술하려 했으나 대해부는 여구가 생각나 못 하게 했다. 밤이 되면 대해부는 힘들었다. 천식이 심해졌다. 이 제는 여구가 만들어준 구들 아랫목을 떠나지 못했다. 아랫목이 따뜻하지 않으면 잠을 못 이뤘다. 유난히 잠이 오지 않는 날이다. 오늘은. 대해부는 밝은 달빛이 어린 창문을 보고 있었다. 눈이 참으로 많이 내렸다. 온 천지가 하얗게…

그놈-

선화의 아들이 생각났다. 손자. 그 기재(奇才). 대해부는 알았다. 여강이 아닌 여구가 자신의 손자라는 사실을. 여호기 그대로다. 그것을 확인만 하고 싶었다. 확인하고 말해주려고 했다. 손자야. 네가 천하를 얻을 수 있게 해주마. 그렇게 얘기하려고 했다. 내가 네 할아비다. 그렇게 얘기해주려 했다. 그런데 그 말을 해보지 못했다.

어제 선화가 왔었다-

꿈에 선화가 화사한 옷을 입고 왔었다. 흰 눈을 닮은 흰 명주비단에 청옥 목걸이가 빛을 냈다. 그리고 대해부에게 절을 했다. 그 절이 그렇게 아름다울 수 없었다. 그리고 그 청동 청옥환을 자신에게 주었다. 그것을 받아 들고 꿈에서 깼다. 받지 말걸. 조금 더 선화를 보았어야 했는데… 아쉬웠다. 연희에게 얘기했더니… 연희는 온종일 바다 포구를 헤매다 늦게 들어왔다고 했다. 그것이 더욱 대해부를 안타깝게 했다. 고구려 자객이 아닌 것을 대해부는 알았다. 이제 연희도 알고 있다. 왕비 하료. 그녀의 계책에 말려든 것이다. 그렇다고 따질 수도 없다. 그런 것이다.

설거 왕자—

이제 신경질적으로 연희를 원하고 있었다. 연희는 꿈쩍도 하지 않는다. 한성백제에서는 비류왕이 이제 실권을 쥔 설거 왕자와 병권을 쥔 설귀를 통해 왕비 하료의 세력을 제압하고자 했다. 그러나 병권을 쥔 설귀는 왕비 하료의 사람이었다. 그것을 안 순간 비류왕은 왕비 하료의 뜻이 어디 있는지 알게 되었다. 몸에 축적된 소금이 작용했다. 선화의 아들이 죽지 않았다고 확신하고 있었지만 그래도 확인할 수 없는 안타까움이 몸을 더욱 상하게 했다. 비류왕은 이제 예전과 달랐다. 급격히 약해졌다. 그런 비류왕을 지탱해주고 있는 것이 바로 설거 왕자였다. 흑천의 우복은 철저하게 설거에게 비류왕을 얻으라 했다. 거기에 명분이 있다고 했다.

강이시약(強以示弱). 능력이 있으면서도 싸우지 못하는 척한다. 능이시지불능(能而示之不能). 허약한 듯 위장술로 적의 방심을 유도하여 단숨에 승리를 거둔다. 전쟁의 최종목적은 승리다. 때로 이쪽의 힘이 아무리 강하다고 해도 싸우지 않고 이기는 것이 최상의 수다. 그만큼 힘을 축적할 수 있으니.

우복은 설거에게 설귀를 얻으라 했다. 설귀 또한 대륙백제 설리에게서 떨어진 이후 왕비 하료에게 몸을 의탁하고 있지만 엄연한 온조계다. 백제 무절의 수장 설진강의 후예. 그 점을 활용해 얻으려 했다. 설귀를 몰래 만난 설거는 자신의 사부로 설귀를 모셨다. 스승. 흑천의 비기(秘記)를 얻는데도 한성백제를 움켜쥐는데도 설귀는 자신의 뒷배가 되어 줄 수 있었다. 설귀 또한 설거가 비류왕을 안고 있었기에 또 왕비 하료와 자신과의 관계가 이미 있었기에 설거 왕자의 요청을 거절할 이유가 없었다. 설귀는 왕비 하료 소생의 왕자 걸서의 무예 스승이면서 동시에 설거 왕자의 스승도 되었다.

설거는 이제 열도의 연희를 원했다. 태자 걸걸은 이미 감당하고 있는 부인이 그 수를 헤아리기가 어려웠다. 아니 설거가 쳐놓은 덫에 걸려 이제는 연희에게 다가갈 수조차 없었다. 그 이유는 간단했다. 힘이 생겼을 때, 설거 자신이 취해야 하기 때문이었다. 그때까지 놔둘 셈이었다. 이제 점점 때가 다가왔다.

대해부는 기가 찼다. 설거 왕자의 접근이 거셌다. 연희는 콧

방귀도 안 뀐다. 안중에도 없다. 설거는 집요했다. 한성백제의 실권을 쥐고 있던 설거가 대해부 상단을 압박하기 시작했다. 한성백제와의 교류에 문제가 발생하고 있었다. 게다가 속속 들어오는 정보는 대륙백제 설리의 상황마저 악화 되고 있었다. 미천왕. 고구려의 미천왕이 정복전쟁을 벌이기 시작했다. 모용씨족을 핍박하면서 대륙백제는 피할 수 없는 전쟁에 다시 휘말리게 되었다.

"고구려가 더 움직일 것이다. 왜 그럴까…"

대해부는 온돌방에 누워서 혼잣말로 대륙과 반도, 열도에서의 전쟁 상황을 그려보고 있었다. 그 혼잣말에 마치 상대해주듯 어둠 속에서 소리가 들렸다.

"요서 지방에 선비 모용씨족의 세력이 커지는 것이 싫어서 고구려가 움직이는 것입니다."

낮은 목소리였다. 안정되어 있었다. 대해부의 노구가 부르르 떨렸다.

"고구려는 진(晉)나라의 평주자사(平州刺史) 최비(崔毖)의

작전에 따라 선비족의 다른 일파인 단부족(段部族), 우문부족(宇文部族)과 함께 모용외를 공격했습니다. 그러나 실패했습니다. 모용씨족이 요동을 장악하고 하성(河城)을 빼앗았습니다. 고구려 미천왕은 다시 군사를 일으켜 요동을 공격하였으며 모용외 역시 후계자 모용황을 보내 막게 했습니다. 이때 대륙백제는 모용황을 지원하게 되었습니다. 휴전과 전쟁이 반복되고 있습니다. 이번 겨울에도 요동 벌에서는 전쟁이 끊이지 않을 것입니다."

"어찌 될 것 같은가?"

"일진일퇴를 거듭하겠지요. 미천왕이 대륙 서쪽에 있는 조(趙)나라와 연합해 모용씨족의 뒤를 견제하고 있습니다. 그러면 이제 열도에도 고구려의 세력이 들어온 이유가 나옵니다. 백제의 뒤를 겨냥하고 있는 것입니다."

"야마다가 전쟁에 휩싸일 수 있겠지."

"그래서 왔습니다."

"그래서 왔다?"

"예… 할아버지…"

할아버지라 했다. 어둠 속에서 낮은 그 목소리가 대해부 자신에게 할아버지라 했다. 대해부의 손이 덜덜 떨리며 올라왔다. 몸을 일으키고 싶었다.

잡아다오. 나를—

　손을 잡아오는 것이 있었다. 따뜻하고 힘찬 손. 어둠 속에 마치 암흑의 그림자인 듯 소리 없이 침입한 불청객. 반가운 불청객. 기다리고 또 기다렸던 그 목소리. 여구였다. 대해부의 더 늙은 손을 잡은 것은 여구의 손이었다. 대해부는 그 손이 도망이라도 갈듯 두 손으로 부여잡는다. 그리고 자신의 가슴으로 끌어당겼다. 자신의 가슴. 거기에 한 손과 가슴으로 부여잡고 또 손을 내민다. 얼굴을 보아야 했다. 눈이 하얗게 내려 방문도 창문도 빛이 한밤중에도 밝았다. 볼 수 있을 것 같았다. 그러나 보이지 않았다. 뿌연 눈물이 먼저 흘러나와 아무것도 보이지 않았다. 흐릿한 저 너머에 누군가 있다. 있었다. 분명히 있는 것 같은데 꿈은 아니지. 아니겠지?

　"꿈이냐? 꿈이라면 깨지 마라. 절대 깨지 마라"
　"할아버님"
　"여구 맞느냐? 여구가 맞느냐?"
　"예. 여구입니다. 선화 신녀의 아들. 여구가 맞습니다. 할아버지께서 천기령 제4 용소에서 어미에게 절을 하게 한 여구입니다. 왜 제게 절을 하게 했는지 그때는 제가 몰랐습니다."

"아, 맞구나. 네가 맞구나."

여구가 맞았다. 대해부는 선화에게 절을 시켰다. 네 아들이
다. 그렇게 울면서 속으로 말했었다. 딸아 이 아들을 보렴. 내
가 왔다. 너를 만나러 내가 네 아들과 함께 왔다. 돌보리라. 내
가 반드시 돌볼 것이다. 그리고 비류왕 여호기에게 데리고 갔
다. 제 아들도 못 알아보는 놈. 그렇게 비웃었다. 꾸짖고 또 꾸
짖었다. 그리고 이제부터 네 앞에 들여보내마. 내가 네 아들
을… 아들도 못 알아보는 네놈 앞에 계속 들이 대주마. 그것이
얼마나 후회가 되는지. 결국, 염려대로 왕비 하료가 큰 사고를
냈다. 내 손자를 죽이려 했다. 용서치 않으리라 전쟁이라도 일
으키고 싶었다. 하지만 절대 포기하지 않았다. 내 손자. 여구는
살아올 것이라 믿고 있었다. 내 딸 선화가 결코 죽게 하지 않는
다. 그 믿음으로 겨우 생명을 이어왔다. 이제 죽어도 여한이 없
다. 여구야.

내 손자―

대해부가 아침부터 부산했다. 잠이 없는 노인네가 아침부터
마가(馬家) 식구들을 다 깨웠다. 뭐하냐고 했다. 뭐 하느라 이
렇게 잠을 퍼 자느냐고 야단을 쳤다. 대해부가 기세등등해서 야

마다 신궁을 뒤집어 놓자, 사람들이 모두 초긴장했다.

"어르신…"

단복과 초로는 대해부를 보면서 처음엔 정신을 놓았는가? 했다. 싱글벙글. 근자에 볼 수 없었던 모습이었다. 도대체 지난밤에 무슨 일이 있었기에 다 죽어가던 대해부가 저리 생기가 넘치는지 알 수 없는 노릇이었다.

"백성에게 곡물을 나눠줄 것이다."

정말 노망이 들었다고 연희는 생각했다. 고구려 연합세력이 열도의 북부를 거점으로 남하하려고 하는 이 중대한 시기에 야마다 천인(天人) 대해부가 정신을 놓는다면? 연희는 끔찍했다. 대해부의 흥분을 가라앉혀야 했다.

"도대체 왜 이러십니까?"

연희는 답답했다. 비미호 여왕 인화마저도 대륙백제로 떠나 있었다. 그런데 대해부마저 이러니. 가슴이 터질 듯 했다. 대해부가 그런 연희를 보고 고소해 죽겠다는 표정이다. 너는 좋겠다. 그렇게 귀여울 수가 없다는 눈빛이다.

"너 요즘 목욕은 제대로 하는 거냐?"

갑자기 무슨 소리인가. 무슨 목욕. 수하들도 많은데 대해부 천인께서 미치지 않고서야… 혼기 지난 손녀의 목욕을 얘기하니 참 난감했다. 연희는 할아버지가 걱정되었다.

"너 오늘은 목욕 꼭 해라. 알겠느냐?"
"할아버지!"

눈에 쌍심지를 켰다. 연희 얼굴에 심통이 나타났다. 더 놀리면 울 것 같았다. 그래서 멈췄다. 그래도 곡물은 나눠줄 생각이다. 그놈이 왔다. 살아왔다.

컹컹, 으르릉-

늑대다. 마가(馬家)에 늑대 한 마리가 나타났다. 초로는 늑대한 마리 때문에 야단이다. 여간한 눈매가 아니다. 그 늑대는 마치 개 같다. 마가(馬家) 아이들이 늑대를 보고 어느 아이는 귀여워하고, 어느 아이는 무서워한다. 마가의 개들은 꼬리를 말아

감췄다. 새로운 제왕이 등장했다. 재구다. 여구를 따라 망자의
섬에서 왔다.

단복은 보고 있었다. 삿갓을 쓴 그 사내. 은자 같은 그 사내
가 큰 검. 동명성왕검을 내놓았다. 철기문명의 백미다.

그런데 전설 같은 이야기 속의 검을 여구가 살아 돌아오면서
가져왔다. 동명성왕검. 그리고 여구는 말했다.

"이 검보다 강한 검을 만들어 줘요."
"왜?"
"모양은 똑같이 만들어야 해요!"
"왜 똑같이 만들어야 하는데…"
"그래야 부러뜨리지!"
"뭘?"
"이 동명성왕검…"
"왜?"
"그래야 새 동명성왕검을 쓰지! 더 강한 검을 만들라는 거야.
그래야 이길 수 있지!"
"…!"

먼저 검을 부러뜨릴 수 있을 때까지 새로운 동명성왕검을 만들라고 했다. 반가워하는 단복에게 여구는 숙제부터 주었다. 소서노 모태후의 전설을 여구는 풀었다. 여구가 시키는 대로 해야 했다. 새로운 동명성왕검이 옛것을 부러뜨린다? 그 옛날, 전설의 귀한 왕검을 부러뜨린다. 단복은 괜히 즐거워졌다. 왕검을 부러지게 할 수 있는 새로운 왕검을 만들어 주마. 그리 생각하니 더 의욕이 솟았다.

저녁이 다 되어서야 연희는 알았다. 마가(馬家)도 대해부처럼 변했다. 단복도 초로도 다들 들떠 있었다. 너무 흥분되어서 연희의 기분은 관심조차 없었다. 괜히 연희에게도 기분 좋은 인사만을 한다. 즐거운 인사. 웃는 얼굴들에 뭐라 할 얘기도 없었다. 기분이 좋아서인지 대해부는 그들과 뭔가를 준비하고 있었다. 잔치였다. 무슨 잔치인가? 왜 잔치를 해야 하는가. 아무도 알려주지 않았다. 모두 바쁘지 않은 사람이 없었다. 대해부는 또 연희에게 말했다.

"목욕은 했느냐?"
"아까 이미 했어요. 왜 그러셔요. 체통을 지키셔야지."
"꼭 목욕해라!"

도대체 무슨 소리인지. 삐쳤다. 신경질이 났다. 지금 자신의 기분을 이리도 몰라주는지. 대해부가 원망스러웠다. 대해부는 뭐가 그리 좋은지 연신 흥얼거린다. 상단이 큰 이문을 남기던 한창 시절에도 보지 못한 표정이다. 연희는 그런 대해부를 보면서 의혹이 생겼다. 그리고 왠지 모를 기대감이 부풀어 올랐다.

다시 씻자-

그러지 뭐. 다시 씻지 뭐. 그렇게 생각하고 어둠이 깔리자 내실에 나무 욕조를 들이라 했다. 연희는 씻기 위해서 옷을 벗었다. 탕으로 들어갔다. 뜨거운 김이 실내에 가득했다. 나무 욕조에 몸을 깊숙이 담갔다. 거기. 있었다.

누구

화등잔처럼 눈이 커졌다. 바로 앞에 한 사내가 있었다. 그 사내. 너무 놀라 심장이 떨어지는 줄 알았다. 연희는 자신이 목욕 중이었다는 사실도 잊었다. 그 사내 품으로 달려들었다. 거기 여구가 있었다. 비로소 연희는 여구를 제대로 품었다. 소서노 모태후의 연줄이었던 연희는 그래서 소서노처럼 먼저 겪었다. 그러나 그 한(恨)을 제대로 풀어야 했기에 다음 왕재를 온전한 그 사랑으로 다시 채울 수 있었다. 그제야 연희의 사랑이 열매를 맺는다.

"근자부 어른이 계셨습니다. 무지곡. 아무도 모른다는 그 계곡으로 들어갔더니 거기 계셨습니다. 그 계곡에서 찾았습니다."

대해부는 참 얽히고설킨 인연 중의 인연이라고 생각했다. 근자부. 대해부가 오래 사귄 지인이며 대선사다. 비류왕 여호기의 스승이며 여구를 지키게 한 사람. 근자부를 협곡에서 만났다고 했다. 무지곡. 거기에서 재구는 늑대들이 다니는 길을 발견했다. 거기 끝에 폭포가 있었다. 폭포. 거기가 끝이었다. 그때 재구가 우우- 으르렁거렸다. 들어가자고 한다. 재구를 따랐다. 폭포 속으로 들어갔다. 폭포 뒤에 무언가 있었다. 동굴이었다. 동굴 안쪽으로 어둠의 길이 있었다. 계속 이어졌다. 갑자기 밝아졌다. 거기 또 다른 세상이 있었다. 동굴을 나오자 작은 분지가 펼쳐졌다. 햇볕이 잘 드는 신천지 같은 곳이었다. 아주 높은 절벽으로 사방이 온통 가로막혀 있었다. 동굴 밖과 단절된 세상. 거기에 작은 초가가 한 채 있었다. 그 초가에 머리와 수염이 온통 허연 신선들이 바둑을 두고 있었다. 그 옆에서 가만히 구경만 했다. 바둑은 정갈했다. 문득 한 신선이 말문을 열었다.

"비기를 찾아서 왔느냐?"

"아닙니다. 사람을 찾아뵈러 왔습니다."

"무슨 사람?"

"근자부라는 분이십니다."

"왜 찾아왔느냐?"

"저를 알고 싶어서 왔습니다."

"너를? 너와의 인연이 있더냐?"

"예."

"그럼 잠시 기다려라!"

기다리라고 하니 기다렸다. 재구도 얌전히 기다렸다. 너무도 한적한 곳이었다. 이승이 맞는가 싶을 만큼 세상 근심이라곤 없어 보였다. 조금 있다가 근자부가 보였다. 천기령에서 봤었다. 자신에게 흑천의 비기를 가르쳐줄 분이었다. 그런데 그러기엔 이곳은 너무 아니었다. 뭔가 그럴듯한 것이 있어야 하는데… 실망했느냐? 여구의 마음을 읽었는지… 근자부는 그렇게 말했다. 아닙니다.

"오너라!"

"예?"

"이리로 오너라."

근자부는 여구를 초가의 한 방으로 데려갔다. 겨우 방 세 칸
인 초가는 작고 정갈했다. 여기가 은퇴한 은자들의 거처일 것으
로 생각했다. 재구는 나비 한 마리와 놀기 시작했다. 그 모습을
보고 두 신선이 좋아라! 한다. 재구는 사람을 즐겁게 하는 재주
가 있다.

이거다-

여기에 있다. 흑천의 비기(秘記), 그것은 단군총사(檀君總史)
였다. 역대 단군의 역사가 담긴 책. 그것이었다. 환국. 밝달 환
국에서 이어온 단군왕검님들의 행적이 적혀 있는 책에 비기(秘
記)가 있다고 했다. 근자부는 그 책에서 특별한 무엇을 찾지 못
했다고 했다. 근자부의 스승님도, 스승님의 스승님도 그랬다.
그리고 책에서 비기를 찾을 때까지 나가지 못한다고 말했다. 거
기서 여구는 일 년을 다시 보냈다.

그리고 찾았다-

인사를 올렸다. 떠나겠습니다. 찾았느냐? 예. 찾았습니다. 그
리 말했다. 세 선인은 무얼 찾았는지도, 어떻게 찾았느냐고도

묻지 않았다. 그리고 동명성왕검을 주었다. 이것을 풀 수 있겠냐고 했다. 근자부와 두 큰 선인의 표정이 이제 네가 나갈 수 있는지를 알고자 한다. 그리 묻고 있었다.

"예. 알고 있습니다."

허허. 그렇게 미소를 지으셨다. 세 분이 미소를 짓고 좋아하셨다. 그래서 정말 기쁘게 은퇴자의 산에서 내려올 수 있었다. 그렇게 되었다.

運 움직이는
三 삼이
四 사를
成 이루고
環 둥글게 에워싸면
五 다섯과
七 일곱이니

一 하나가
妙 빼어나고 훌륭하게
衍 넓어지면

衍 넓어지면

대륙의 전쟁 조짐이 심상치 않았다. 선비족 내부의 모용씨족과 선우부족, 단부족 등의 부족 간 갈등이 고구려에 영향을 미치고 대륙 북부의 영토전쟁으로 변한다. 홍수와 가뭄이 반복되어 대륙의 긴장감이 높아졌다.

분명하냐-

다시 물었다. 분명하다고 했다. 왕비가의 무사들이 열도에 다녀왔다. 다녀온 무사 중의 하나가 왕비족 진씨가에 들어가기 전에 증거를 남겨 놨다. 혹시 만약. 내가 돌아오지 않으면… 무사는 하나뿐인 아들더러 도망치라고 했다. 목걸이 때문에 살인 멸구를 당할지도 모른다 했다. 무사의 아들은 아비가 죽은 이유를 알고 싶어 했다. 왕비족 진씨가에 들어가기 전에는 멀쩡했다. 보고하러 가서 돌아오지 않았다. 알아봤더니 풍토병을 크게 얻어 사흘 만에 죽은 것으로 되어 있었다. 다른 무사들의 식솔 또한 다 사라졌다. 무서웠다. 그래서 무사의 아들은 흑천으로 숨어들어 무예를 배우고자 했다. 흑천에서 아비의 원수를 갚고자 기회만을 노리고 있던 아이를 우복이 발견했다. 목걸이 그림을 갖고 있던 무사의 아들을 왕자 여설거에게 보냈다. 노환으로 앓고 있던 진루는 개입할 수 없었을 것이다. 그럴 이유도 없었다. 결국은 왕비 하료만이 가능한 일이라고 설거는 보고했다. 비류왕도 그리 짐작했다.

비류왕은 병들었다―

왕자 여설거는 우복에게서 그렇게 들었다. 왕비가 그랬을 것이다. 왕비가의 오랜 권력 유지의 비법이다. 이는 설거에게 다시없는 기회다. 왕비 하료의 두 아들과 더불어 왕위계승권은 설거에게도 있었다. 비류왕의 선택이 가장 영향력이 컸다. 그 간격을 더 벌려 놓을 절호의 패였다.

병이라–

태자 걸걸은 열도에서의 품행이 매우 안 좋았다. 벌써 야마다와 인근 소국에만 후실 다섯에 애첩을 스물다섯이나 두었다. 아무리 열도 여인국 여왕에 대한 협력방안이라고 해도 너무 방종이 심했다. 연희공주에 대한 집착도 설거에 의해 계속 왜곡되어 비류왕에게 보고되고 있었다. 그러나 왕비 하료는 이러한 사실을 까맣게 모르고 있었다. 왕자 설거의 간계는 계속 이어지고 있었다. 가랑비에 속옷 젖듯이 그렇게 비류왕은 태자에 대해서도 매우 부정적이 되어갔다.

"그렇게 되는가?"
"예…"
"그러면… 결국 위중하게 되는가?"
"예… 힘이 없어지고… 배설, 옷 갈아입기, 입욕, 식사, 걷기 등을 혼자 할 수 없는 상태가 되거나… 심장이 벌렁거리며, 흉통도 있게 됩니다. 그런 상태에서 심하게 흥분하면…"
"흥분하면?"
"송구하옵게도 풍이 와서 반신불수가 되거나… 때로는"
"때로는?

"머리를 붙잡고⋯ 큰일을 겪을 수 있는⋯ 아주 위중한 상태이십니다."

"그만. 알았다."

왕자 여설거가 댄 의원은 그렇게 말했다. 흑천의 의원이 밝힌 비류왕의 뜻 모를 병은 혈관이 두꺼워지고 혈액이 탁해진 까닭이라고 했다. 음식물이다. 소금이라고 했다. 그러나 더 큰 문제는 지금 갑자기 음식을 바꾸는 과정에서도 큰 부작용이 있을 것이라 했다. 비류왕은 왕비 하료에 대해 점점 더 두려움을 느끼고 있었다.

나마저도−

선화를 죽인 것은 물론 얼마 전까지 살아 있던 선화의 아들조차 죽인 것을 알게 된 비류왕은 왕비를 증오하고 더욱 멀리한다. 그러나 어찌할 수 없다. 자신을 없앨 수 있는 왕비가의 힘이 있었다. 그래서 비류왕은 왕자 여설거와 온조계에게 힘을 대폭 실어주었다. 이것이 비류왕을 지탱하게 했다. 왕비 하료는 왕자 설거의 야심을 읽고 있었다.

지금은 설거다−

왕비는 이러지도 저러지도 못한다. 비류왕이 자신을 증오하는 것을 누구보다 잘 알고 있다. 그래서 왕은 설거에게 힘을 주고 있다. 설귀처럼 양측에 줄을 댄 사람들이 한성백제에는 많이 있었다.

"왕자 설거의 힘이 너무 강하지 않습니까?"
"그래도 왕비가만 하겠소?"
"마마…?"
"그런데 말이오. 이번에 왕비가에서 내신좌평을 천거하는 것이 어떠시오?"

왕비 하료는 의아해졌다. 왕비가에서 누구를 낸단 말인가? 설마 자신의 남동생 진하이(辰河夷)는 아닐 것이고, 혹시 대륙백제의 명문가 협씨나 한씨인가? 비류왕이 말을 이었다. 왕비 하료에게 추천을 부탁했다.

"왕비께서 두세 명만 추천을 해주시지요. 가장 일을 잘할 사람이요. 특히, 대륙백제의 상황이 안 좋으니…"

이게 무슨 말인가? 그리도 사이가 안 좋은데 내신좌평을 왕비가에? 내신좌평은 백제귀족 대화백회의 의장을 겸하고 있다. 후위를 결정할 수 있는 사람이다. 태자가 결정되어 있는데 백제 귀족 대화백회의의 의장 또한 왕비족 진씨가에 맡긴다? 그럼 다 되는 것이다. 비류왕이 모험하고 있다. 건강 때문에 정신이 흐려졌나 싶었다. 왕비가에서 천거해달란다. 하료는 비류왕 여호기가 무슨 생각으로 자신에게 목숨을 내놓는지 몰랐다.

그 해, 여름이 무더웠다. 왕궁에 불이 났다. 불이 번져 민가까지 태웠다. 가을이 되어서야 왕궁을 수리할 수 있었다. 불이 난 궁이 왕자 여설거의 어미인 태왕후 하미의 처소였다. 비류왕은 불이 난 곳을 자주 위문하러 갔다. 왕비 하료와 갈라선 하미를 만났다. 분서왕이 죽고 자신이 태왕후를 홀대하는 것으로 비쳐서 온조계를 자극하거나 빌미를 줄 이유가 없었기 때문이었다. 더욱이 태왕후 하미는 우복을 죽게 한 것이 하료라고 알고 있었기 때문에 하료에 대한 감정이 별로 안 좋았다. 그 하미와 더불어 진탄의 딸 진하연을 그 시기 자주 만날 수 있었다. 딸 같은 막내와 태왕후 하미는 장단이 잘 맞았다. 진하연은 하미를 잘 위로 했다. 또 즐겁게 하는 재주가 많았다. 학식도 풍부했다. 진하연은 열도에서 왕비 하료의 일을 알고 있었다. 다만 그 증거가 없고 왕비족의 대모인 왕비 하료를 어쩔 수 없어 비류왕에게 고하지 못하고 있을 뿐, 내심 왕비 하료와의 감정이 매우 안 좋았다.

진탄(辰坦)의 사위 중에 매우 강직하고 중립적인 인사가 있었다. 하료와 갈라선 왕비족 중에 진의(眞義)가 바로 그 사람이었다. 어릴 적 진하연의 스승이자 백제 경당의 수장이었다. 태왕후 하미의 제부가 된다. 진의는 보통 깐깐한 사람이 아니다. 진의를 진하연으로부터 천거 받았다. 중심이 흔들리면 세상이 흔들린다고 했다. 진하연의 그 말이 여러 생각을 하게 했다. 그리고 진하연은 역으로 계책을 쓰라고 했다. 하료에게 셋 정도를 추천하라 하면 반드시 올라올 사람 중의 하나라고 장담했다. 복심을 감추고 하료를 떠보았다.

비류왕은 진하연이 열도에서 연희와 여구 등과 함께했던 이야기를 듣는 것이 재미있었다. 왕은 여구라는 아이에게 많은 관심을 보였다. 진하연은 그런 비류왕에게 여러 얘기를 해주었다.

여구-

비류왕은 열도에서의 보고를 통해 느끼고 있었다. 여강, 망아가 아니다. 여구다. 시신(屍身)이 있던 여강에 대한 미련이 남지 않은 것도 마음이 여구에게 기울었다는 방증이었다. 또한 대천관 신녀의 말을 믿었다. 여강이 아니다. 그렇게 생각하고 있었기 때문에 진하연의 여구에 대한 이야기는 듣고 또 들어도 즐거운 아들의 이야기였다.

"그래서?"

"그래서 그 나무판을 보더니… 대뜸 칼을 대보는 겁니다. 쩍 하고 그 사람이 댄 그 부분이 갈라졌어요."

"결을 건드렸구나!

"예. 나무마다 결이 있으니… 거길 댔으니 갈라졌지요."

"그래서?"

"한숨을 쉬더군요."

"안타까워서 그랬을 것이다. 안타까워서. 그 하급병사들이 그걸 보호대라고 찼으니… 그리 결대로 칼을 맞으면 무슨 보호가 되겠느냐?"

"예. 그런 것 같았습니다. 그러더니 자신이 만들어 보겠다고 해요. 호위좌장이 무예는 안 하고 그런 것에만 관심이 있었어요."

"그래? 그랬구나… 그 아이…. 아, 재미있는 아이구나."

순간 비류왕 여호기는 들킬 뻔했다. 그 아이. 여구. 자신이 적어준 이름. 구야 건강히 있다가 나오너라! 여구다. 그런 생각들이 정리되고서 진하연의 여구에 대한 얘기를 들을 때마다 복받치는 감정이 올라왔다. 그럴 때면 그저 재미있는 아이구나. 그리 했다.

진하연은 참으로 이상했다. 비류왕은 여구 얘기만 하면 좋아했다. 별것 아닌 것에도 많은 관심을 보였다. 그런 생각을 하기 시작한 진하연을 비류왕은 어여쁘게 보고 있었다. 비류왕 여호기는 진하연을 여구와 연관 지어서 생각하고 있었다.

"너도 그 아이를 좋아했었구나?"

"예? 아닙니다. 연희공주가 매우 아끼는 자였습니다."

"그래서? 아끼는 자인데… 좋아하면 안 된다 하더냐?"

"아니… 그게 아니라…"

"음, 그게 아니라면… 왕비가의 여식이 열도의 일개 호위 무사를 좋아해서 안 되느냐?"

"아니 그것도 아닙니다. 전 단지…"

"단지?"

"단지… 그 재주가 아까웠습니다."

"단지 재주만 아까웠더냐?"

"예. 그랬습니다."

"그래? 그래서 왕비가의 절대금수품목인 양잠을 얘기하고 명주 비단을 얘기했단 말이냐?"

"그건 지난번 말씀드린 것과 같이 한성백제에 더…"

"이로워서 그랬다? 그것뿐이냐?"

도대체 뭘 물어보시는 것입니까? 뭘 들으시려고 이러십니까? 태왕후 하미는 그런 비류왕과 진하연을 보면서 미소를 지었다. 오랜만에 자주 웃고 있었다. 진하연은 비류왕이 여구 얘기만 나오면 자꾸 자신을 골린다는 것을 못 느꼈다. 자신이 여구 얘기만 하면 조금씩 흥분하고 있다는 것을 자신은 몰랐던 것이다. 진하연은 여구에게 빚이 있다. 미안함이 가득했다. 왕비 하료가 원망스러웠다. 자신은 전혀 그럴 의도가 아니었는데… 그렇게 됐다. 진하연은 비류왕 여호기에게 왕비 하료의 비밀 하나를 은밀하게 전했다. 그 비밀.

"그래서 설 공은 누구라 생각하오?"

"…?"

이렇게 난처할 수 없었다. 병관좌평 설귀. 백제의 모든 군권을 다 쥐고 있는 병관좌평이 비류왕 여호기 앞에서 다음 후사를 논하고 있었다. 왕비 하료를 따를 것이냐? 아니면 누구냐? 태자와 걸서 왕자, 그리고 왕자 여설거까지… 이를 감히 입에

올리는 것은 현재 왕을 능멸하는 일이 될 수도 있었다. 대답할 수가 없었다. 한참 설귀가 대답을 못했다. 생각이 많은 것이었다. 비류왕은 설귀와 좌담 중에 곧 설거를 불렀다. 왕위 후사를 논하는 자리에 설거를 불러서 왕비와 열도 일에 대해 보고를 받았다. 의미가 깊은 행위였다.

"이건가? 왕비족 진씨가에서 궁궐 수라에 관련된 사람들이 이렇게나 많나?"
"허허, 이건 또 뭔가… 열도에서 태자는 계속 정복 중이군."

보고를 받는 비류왕 여호기의 미간이 좁혀졌다. 계속 정복 중인데 미간이? 다른 얘기였다. 설귀가 피식 웃음을 흘려야 했다. 그 순간을 비류왕이 놓치지 않았다.

"설 공. 열도에서는 어땠소? 즐거운 일을 좀 겪으셨습니까?"

무슨 일 없었느냐? 그리 묻고 있었다. 그리고 의심하고 있다고 설귀는 생각했다. 왕비와 자신. 열도 일로 거래했느냐? 하는 것 같았다. 태자 걸걸의 여색 문제가 자신에게로 불똥이 튀자 설귀는 어려워졌다. 그래서 설귀는 비류왕 여호기에게 말했다. 자신은 오직 왕께 충성을 다할 뿐이라고 했다. 비류왕 여호기는 그래야 하고말고 그렇게 말했다. 비류왕은 설거를 지렛대로 해서 설귀에게 왕비 하료와 거리를 두라고 암시하고 있었다. 궁에 들어와 비류왕과 독대하기 전에 이미 설거가 설귀에게 일러 놓은 말 그대로였다. 설거는 그렇게 비류왕 주변에서 사람들에게 자신이 태자 걸걸보다 비류왕의 신임을 더 받고 있다는 것을 드러내놓고 있었다. 이것이 왕비 하료가 비류왕을 어쩌지 못하는 이유였다. 한성백제에서는 왕자 여설거의 힘이 더 앞서 있었다.

내신좌평을 추천하라고 해요−

왕비 하료가 동생 진하이와 내신좌평 문제를 어찌할 것인지. 상의했다. 하료 일가의 고민이 매우 깊었다. 심각해질 수도 있었다. 전혀 다른 제안이 나올 수도 있었다. 왕자 설거가 태왕후 하미의 아들이라는 점도 문제였다. 하료의 아비 진루는 노쇠했고 하미의 아비 진탄, 즉 자신의 작은아버지는 아직 건재했다. 그것이 왕비족 진씨가 출신으로 내신좌평을 맡을만한 사람이 적어서 염려되었다. 비류왕의 술책인 것 같아 함부로 어쩌지 못한다. 왕비 하료가 추천한 진씨가의 사람이 태왕후 하미의 아들인 여설거와 더 가까울 수도 있었던 것이다. 이렇게 비류왕은 여구가 살아서 돌아올 때까지 자신이 모든 것을 쥐고 왕비 하

료와 왕자 여설거의 세력 중간점에서 무사히 살아 있어야 한다
고 생각하고 있었다.